圖書館採訪學

顧　　敏著

臺灣學生書局印行

自 序

圖書採訪原本是圖書館中的一項古老工作，圖書採訪之學的研討也淵源有自，惟近年來採訪工作的問題又成爲現代圖書館經營和圖書館學研究的熱門領域。

根據史册的記載，漢武帝曾命公孫弘廣開獻書之路，漢成帝曾派陳農求遺書於天下，唐朝魏徵等人曾建議太宗請購天下之書。這些舉動均相當於今日圖書館中的採訪業務；廣開獻書之路即擬訂徵書辦法，求遺書於天下即蒐集珍善本或絕版圖書，請購天下書即大批的購買圖籍或書刊。圖書採訪工作實在由來已久。另外，鄭樵氏曾提出求書八法：即類以求、旁類以求、因地以求、因家以求、求之公、求之私、因人以求、因代以求，祁承業氏也曾撰有「購書訓」，這也顯示圖書採訪學的研討，長年以來漸次地發微於歷史上的治書之家。

公衆性的圖書館業一直到十九世紀末葉，由西方國家開始提倡，並逐漸發達於世界各地，圖書館的採訪工作隨圖書館業的發展而有機會受到重視。我國的圖書館業，自民國初年算起呈一直線地向上發展，圖書館採訪學的研究也即時地蔚爲成風，許多重要的專論紛紛的出現，例如民國十五年杜定友先生的圖書選擇法，十六年顧頡剛先生的購求中國圖書計畫書，二十年林斯德先生的兒童讀物選擇法，二十三年呂紹虞先生的圖書之選擇與訂購。民國二十五年邢雲林先生撰寫的圖書館購求法一書是我國第一部討論採訪學的專書，隨後由於戰亂的關係，圖書館事業的重要性與活動因而降低了幅度，圖書採訪學的研究滯停了相當一段時期，繼圖書館圖書購求法一書公開發行三十六年後，現任國立中央圖書館館長王振鵠先生撰寫了圖書選擇法一書，使得我國臺灣地區在圖書採訪學方面的研討，進入了一個新的階段。四年之後沈曾圻、曹美芳兩位先生又編寫了西文圖書期刊採購實務一書。其間另有若干論述性的文章出現於各學術刊物之上，例如沈寶環先生的科學出版品的選擇問題、張鼎鐘先生的圖書館的技術服務——資料的徵集、王振鵠和趙來龍兩位先生的圖書資料的選擇、黃鴻珠先生的大學圖書館採購國外資料的理論與實務等，這些論述對於採訪學的探討貢獻甚多。

近年來圖書館的重要性日益爲世人所重視，世界各地圖書館界的活動隨之迅速地增加，圖書館學的研究範圍更日形擴展，圖書館的採訪事務隨着圖書館學的發達而日漸充實，圖書採訪學的範圍遂不再僅限於傳統範疇之內；除了選擇圖書的原理原則、徵集資料的技巧與程序外，關於圖書館館藏發展的企劃與評估、各種體媒的比較應用、知識資源的分配和分享、促進圖書館業務自動化等實質問題和概念問題，都直接地注入了圖書採訪學。

本書共分八章二十四節向讀者述說圖書採訪的問題；第一章緒論包括名詞解釋與定義、採訪在圖書館工作中的地位、採訪工作和其他工作的關係，此章的內容純屬基本概論的性質；第二章採訪工作的特性，介紹了採訪政策的設計規劃與運作，對於作業項的分工以及各型圖書館的採訪重點與特色亦儘量提及；第三章書籍的選擇方法，除說明選藏的範圍外，利用經濟計劃和行政企劃的觀點述明選書的概念與原則，並兼及選核圖書的實際作業和步驟；第四章圖書訂購作業，在於說明目前各圖書館所運用的各種訂購方法，以及訂購工作必要的程序和紀錄；第五章圖書的贈送與交換，介紹購買之外的書刊徵集方法，贈送與交換的注意事項及方式便是本章主要內容；第六章期刊資料的採訪，述說了評選期刊的主觀線索和客觀方法，對於和徵集作業密切相關的期刊登錄工作連帶並述；第七章縮影資料的採訪，以縮影資料作爲視聽資料的例子，分別說明新興媒體進入圖書館收藏時所涉及的各種問題，包括企劃管理的問題，新興媒體的調和與配合問題，視聽媒體所獨具的設備、規格與環境的問題等；第八章圖書採訪學的發展與趨勢，以現實情況爲端倪，分別就資源交流，出版品編號制度，自動化作業等三個角度敍述圖書採訪作業所面臨的挑戰，以及因作業壓力而新闢的採訪學研究領域。最後並附錄圖書館界先進們所擬訂的書籍登錄規則和期刊紀錄程序辦法，供讀者對照參考。

本書的完稿，係就個人近年來講授「圖書選擇與採訪」的些許經驗，以及在圖書館界工作的思考體驗，滙書成册，疏陋之處在所難免，尚祈學界前輩，工作同仁及在校同學公開地批評指教，無任歡迎。

顧　　敏

序於臺北南港

1979. 8. 18

圖書館採訪學

目　錄

第一章 緒 論

第一節 圖書館採訪學的概念

圖書館是知識的中心點。

以人文學科的觀點而言，圖書館裏儲存了人類文明進展的各種活動記錄，透過圖書館的服務，人們可以把各種看法，想法和經驗一代一代的傳延下去，因此之故，許多人認爲圖書館是邁向未來的踏板石，也是瞭解歷史的橋樑。

以社會科學的觀點而言，圖書館是人類組成傳播系統和教育系統所不可或缺的一部份。在各種不同階層裏生活的人，都需要使用圖書館的資源來促成或改進他們的工作。

那麼，圖書館是否可以完成人文意識裏的使命？是否可以達到社會架構中的任務？這是每一位關心圖書館事業的人所關心的。這個答案，無疑應該是肯定的。因爲，圖書館必須完成它的人文使命和邁向應有的社會任務。設若圖書館的工作不能履行人文上的使命和社會上的任務時，對於「圖書館」本身和圖書館學兩方面俱有很大的影響，一則將使圖書館在人們心目中和社會價值上大爲降低，再則將使人誤認爲圖書館學不值得研究和無從研究。因此，圖書館的癥結問題不是在於可不可以達成其人文使命和社會任務，而是在於如何來完成這些目標。

要瞭解這一點，我們不妨先來察看一下，圖書館做些什麼工作，以及圖書館怎樣開展它的工作；圖書館的工作依不同專家的意見，在劃分上有好幾種方式，例如：二分法、三分法、五分法等等。在二分法的區分方式中，圖書館的工作分爲——技術服務和讀者服務兩項。在三分法的區分方式中，圖書館的工作分爲——聚集、整理、應用三項。在五分法的區分方式中，圖書館的工作分爲——採訪、編目、流通、參考、叢刊五項。

在二分法的技術服務和讀者服務中，技術服務包括了採訪、編目、分類、裝訂、資料複製、流通作業等；讀者服務則包括了閱覽、參考、諮詢、展覽、視聽推廣、講演活動等。技術服務是方法，讀者服務是目的。根據「工欲善其事，必先利其器」的原則，惟有技術服務做好之後，讀者服務才可能做得好，而採訪工作被排在技術服務中的第一項，並且被認爲非常重要。(註一)

在三分法的聚集、整理、應用中，聚集所指的是透過購買、徵求、交換等，把各種書刊資料，聚集起來。整理所指的是分類、編目、典藏，應用所指的是流通、宣傳、參考。根據邢雲林先生之說法：「聚集而後始能整理，整理而後始能應用，因應用而後始求聚集。此三者如階之級，鍊之鐶，彼此維繫，互爲因果，不可廢其一也。……而三者之中尤以聚集爲開源務本之工作，圖書館首宜重視之」。(註二)

在五分法的採訪、編目、流通、參考、叢刊五部份之中，根據愛德華·查普曼等人所著的「圖書館體系分析指南」一書裏所指陳的而言，不但明列採訪爲圖書館作業體系之一環，並置於居首之位。(註三)

近代的圖書館工作，總是包括了「採訪」這一項，並且也很重視採訪這一項工作。圖書館爲達成人文上的使命，必需儲存人類文明進展的各種記錄，同時爲邁向社會上擔當傳播系統和教育系統中的角色，也需擁有知識資源。這些目標都要經過圖書館的採訪工作。

事實上，不僅是現代的圖書館，古代時圖書館亦有採訪之事例，據前漢書卷六帝紀第六的記載，漢武帝曾經命令丞相公孫弘廣開獻書之路，隨後百年之間，書積如山，這是以徵求之法，作爲採訪之先河。又根據唐書藝文志之記載，唐太宗貞觀期間，魏徵等人曾請購天下書，並由宮廷中的專人司掌。這是以購買之法，作爲採訪之先例。

或許自人類開始集中圖書與資料時，即有採訪工作之誕生，只是愈早期，圖書館的概念愈不明顯，採訪工作自亦不會明顯出來，隨着時代的演進，社會化的發達，圖書館的概念與功能，漸漸地被普遍的公認，採訪工作在圖書館業務之中的份量，亦隨之不斷增加。

發展至今，採訪工作成爲圖書館開展業務的第一項工作，有了採訪工作，而後有分類編目之整理工作，而後有閱覽典藏之管理工作，而後有展覽及參考諮詢等推廣工作，再而後才有圖書館合作系統及交流網之建立。圖書館工作的推進與否，要以採訪工作的發達與否爲轉移點。

圖書館的工作脫離不了圖書館學，圖書館的採訪工作也需要維繫於圖書館採訪學，因之，圖書館採訪學的建立，有助於採訪工作之施行，採訪工作之順利進行，有助於圖書館工作之發展，也有益於圖書館達成人文中及社會上所應賦於的使命和任務。

圖書館採訪學的功能，在探討有關圖書館方面的採訪原理，研究有關圖書館方面的採訪問題，發展有關圖書館方面的採訪技術。

註記:

一、參見 Maurice F. Tauber 所著 Technical Services in Libraries Acquisitions, Cataloging, Classification, Binding, Photographic Reproduction, and Circulation Operations 一書。

二、參見邢雲林所著：「圖書館圖書購求法」一書中之前言部份。
三、參見 Edward A. Chapman 所著 Library Systems Analysis Guidelines 一書。

第二節　圖書館採訪的意義

採訪一詞由「採」和「訪」組合而成。

根據字典的註釋「採」亦即「采」這個字，當「取」或「擇」來解釋。其中「取」的意義含有「收而有之」及「選而進之」兩部份。「擇」的意義含有「揀選」和「分別揀選」兩部份。歸納起來，「採」的意義爲「揀選、分別揀選，選而進之，收而有之」。

「訪」字當「廣問於人」和「覓求」解釋。「廣問於人」即徵求意見，請教方家。「覓求」即找尋發掘之意。歸納起來，「訪」的意義爲「覓求，發現，徵求意見，請教方家」。

「採訪」合爲一詞，意義更爲清楚而明顯，簡而言之，即爲「覓求、揀選與收取」。圖書館採訪是指有關圖書館方面的覓求、揀選與收取等工作。

目前，圖書館中所通稱的「採訪」，意之於英文圖書館學術語中的 Acquisitions。根據「圖書館學與資訊科學百科全書」之解釋：Acquisitions is the general term applied to the function of obtaining the library materials which make up a library's collections (註一) 意即凡爲建立圖書館收藏，而作之各種獲取資料的業務均稱爲 Acquisitions。

英文裏對於 Acquisitions 之解釋，在語意上非常概括，幾乎在圖書館的工作中凡能達到「收而有之」的目的者，均可稱爲 Acquisition。因此，英文裏採用的是 Acquisitions 而非 Acquisition。Acquisition 在英文的狹義解釋往往又幾乎等於訂購 Order。(註二)

另外，英文名詞中的 Selecting Materials 和 Book Selection 中的 Selecting、Selection，則當作選擇、挑選之解。

時下圖書館界所流行使用的「圖書選擇與採訪」一複合名詞，實譯意於"Book Selection and Acquisitions"若以中文的性質而言，「採訪」一詞已明確地包含「選擇」之意，故圖書採訪亦已包含「圖書選擇與採訪」之意義在內。

名詞之解釋必須清楚合宜，方利於求知之道，這也就是古人所說：「必也正名乎」的理由。然而名詞語彙的應用，和學理之解釋，並不一定完全的一致。語彙的使用難免不受習慣之影響。

"Book Selection and Acquisitions"可以直接而簡

潔地譯爲「圖書採訪」，而不影響其爲術語之意義，同時也可加重語氣地譯爲「圖書選擇與採訪」，順乎習慣上的口語。這正如中文裏的「分類編目」，譯成英文時，可簡潔地翻譯成 Cataloging，也可加重語氣地譯爲 Cataloging & Classification，因爲在英文的原意裏Cataloging已包含有「分類」的意義了。(註三) 惟譯成 Cataloging & Classification 亦無妨。

由此觀之，圖書館採訪的詮釋可分爲兩方面，狹義的採訪是指爲建立圖書館館藏，而進行之「收而有之」之工作；廣義的採訪是指有關圖書館方面爲建立館藏所作之覓求、揀選與收取等工作。

那麼，圖書館如何來進行「收而有之」之工作呢？一般可利用訂購、徵求、贈送、交換等方法，而達到Acquisitions 的任務。圖書館又如何來做到「覓求、揀選、收取」之工作呢？一般而言，可包括瀏覽書刊，請教專家，準備書目，查核資料，寄發訂送函，連絡收書，登錄入館資料等一連串的工作。

圖書館的採訪是覓求、揀選和收取。那麼到底覓求什麼？揀選什麼？收取什麼？這是另一個問題。概約的講，圖書館所覓求、揀選和收取的是圖書館所需要的材料Materials。也就是圖書館爲進行讀者服務或知識服務時所需要運用的材料。傳統的說法，圖書館中所運用的材料是以紙做爲媒體的圖書和刋物，因此，圖書館採訪所覓求、揀選和收取的也是以紙爲媒體的圖書和刋物。惟若干年以來，圖書館所運用的材料，除圖書刋物外，還運用了縮影資料、幻燈片、影片、錄音帶、地圖等等媒體。（註四）隨之，圖書館採訪所覓求、揀選和收取的，亦包括了這些新型媒體的材料。

近年亦有人主張圖書館的服務，必須要仰賴圖書館的資源，這個觀念突破了僅僅以外形物質來衡量圖書館的收藏，因此，圖書館透過覓求、揀選和收取所進行之採訪工作。有人試圖以圖書館資源發展 Library Resources Developing 一詞來作爲採訪工作之同義詞或代義詞。他們的動機是在於爲採訪工作爭取更主動的地位。

圖書館的採訪工作，是一項務本的工作。本固而後其他各項服務工作，得以據而推展。正如人體的機構，有食物然後能够營養。採訪工作之於圖書館的作用，恰似人們覓求、揀選、收取食物之於人體。

具體而言，圖書館採訪的意義，就是利用科學的方法，覓求適於圖書館集藏所需的各種圖書資料，揀選適於讀者閱讀需要的各種圖書資料，收取適於知識傳播所需的各種圖書資料，並藉着這一連串工作，替圖書館整體業務奠定基礎。

註記:

一、見 Allen Kent　Harold Lancour 二氏所編之 Encyclopedia of Library and Information Science vol. 1 p. 64.

二、見 A. L. A. Glossary of Library Terms 之解釋。

三、見 Encyclopedia of Library and Information Science vol. 4 p. 244

四、見 Encyclopedia of Library and Information Science vol. 1 p. 71

第三節　採訪工作與圖書館各部之關係

採訪工作是圖書館業務中的一個部份。任何部份必然和整體中的其他部份產生一定的關係，討論各部關係可協助我們充分瞭解一個部份的職份。圖書館業務亦不例外，我們討論採訪工作與圖書館各部之關係，正可瞭解採訪工作在整體圖書館業務中的職份。

根據愛德華·查普曼之意見，圖書館的作業體系，包括採訪、編目、閱覽、參考、叢刊、行政及企劃六部份。如下圖所示（註一）玆分別就採訪工作與編目部門之關係；採訪工作與閱覽部門之關係；採訪工作與參考部門之關

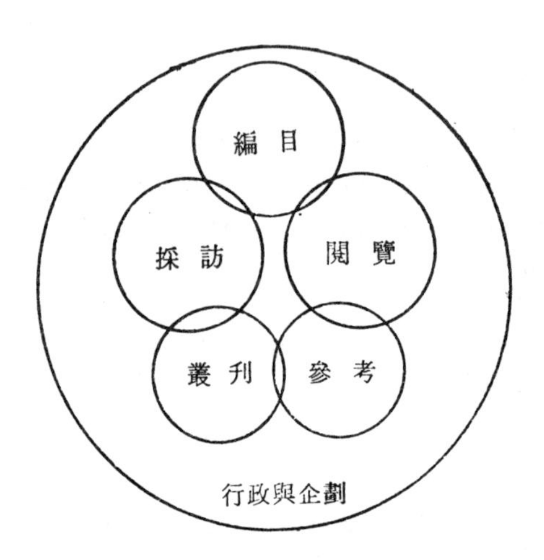

係；採訪工作與叢刊部份之關係；採訪工作與行政及企劃部份之關係，略述如下：

一、與編目部門的關係

採訪工作與編目工作是直接相銜接的。當圖書資料由採訪部門覓求，揀選，收取並登錄之後，即交由編目部份處理。兩者的工作性質均屬圖書館對讀者服務之先的準備工作。

在目錄資料方面而言，採訪與編目兩部份，互相支援，共同參考。採訪工作中的各項記錄，如「已購到館紀錄檔」和「採購中紀錄檔」(註二)，對於編目部份在製作目錄卡片時，具有很重要的參考價值，舉凡新舊版圖書之書名變動，出版事項之更動等，已購到館紀錄檔和採購中紀錄檔所載之資訊，均對編目工作均有助益。

編目部門所建立之圖書目錄、排架片等均可供採訪部門在查證及校對書單時參考。而每一個圖書的「書名標準檔」和「著者標準檔」等重要目錄款目檔（註三），應由編目部門和採訪部門共同研訂，確立標準款目，如筆名之取捨等。

採訪部門和編目部門通常共同使用工具書籍，例如各種出版書目，標準書目，書評摘要等。

二、與閱覽部門的關係

圖書館中透過採訪工作而得來之圖書資料，其目的是要讓讀者利用。閱覽部門之重要工作項目之一，即為圖書流通。閱覽部門對於圖書流通所作的統計，帶給採訪部門許多裨益，並可藉閱覽統計報告，客觀地決定增加那一類的圖書，增購那一些複本等。例如從統計報告中分析讀者借不到書的原因，可供採訪作為增購新書之參考；若分析讀者預借圖書之情形，可供採訪作為決定購置複本之參考；若分析整個閱覽統計之曲線圖，可依之考慮修正採訪方向的因素。

閱覽部門所展示之「新書介紹」活動，須與採訪工作密切配合，才能更加豐富地充實介紹之內容。閱覽部門辦理其他展覽業務時，也需要要求採訪部門支援。

此外，值得一提的是，一個圖書館既有之館藏，最好能和該館的服務目的及採訪政策相配合一致，如有不完全配合一致時，應如何調整的問題，即由閱覽部門與採訪部門共同研辦。

三、與參考部門的關係

圖書館中的參考部門是直接和讀者進行交流的部門，也是圖書館瞭解讀者的主要孔道。爲求達到服務之目的，圖書館接受讀者推薦書目，而採訪有意義之圖書資料。但是，採訪工作並非直接和讀者打交道。通常讀者向圖書館建議購置圖書資料時，均向參考館員提出介購卡，而後由參考部門彙轉採訪單位辦理。

現代的圖書館除了替本館所屬幅地區內的讀者服務之外，尙有支援友館的共同責任，例如圖書館中的館際互借或館際資料調查等，大都由參考部門辦理。而每一個圖書館在「合作採訪」項下，所分擔的蒐集任務，大都由參考部門提供方向與消息，而後由採訪部門辦理合作項下的分工部份，使圖書館交流網得以充份地發展起來。

另外，採訪部門經常提供最近參考工具書目，供參考部門運用與挑選之用。

四、與叢刊部門的關係

獨立設置叢刊部門之圖書館，其叢刊（亦即連續性刊物）之訂購、交換、索贈等作業和採訪部門有很大的關連性。例如，預算的分配與管制；採訪的方式；書目資料的交流；參考工具之使用；對書商之一貫要求；付款方式的辦理；輸入手續，進口手續的辦理等等，兩者均應隨時交換意見，協同作業，俾使發揮圖書館業務中的整體力量。

五、與行政及企劃部門的關係

圖書館採訪工作與行政及企劃有很大的關係。約分下列幾點敍述：

1. 協助建立公共關係：採訪工作範圍具有外向性，採訪工作中所接觸的與圖書館業務有關或相關的單位與機構，出版者等，均應保持適當之公共關係，以使圖書館的立場，以及在社會上所司之職分，更深一層地推廣出去。而採訪部份的圖書館工作人員，較有機會和不同的單位、機構、出版者交流彼此之意見，增進互相之瞭解，故採訪工作人員有義務協助館方與外界建立公共關係。

2.預算與經費管制：圖書館採訪工作中的編製預算、分配書款、付款方式等，均和行政部門之會計作業有關。除公共性質的圖書館外，大專院校，機構單位之圖書館，其經費均分置於隸屬之本機關之內，非完全獨立之經費，故尤其須與會計單位協調。

3.協助裝訂工作：書刊之裝訂、裱背等極爲重要。若圖書館未設單獨之裝訂部門，則書刊裝訂前之準備工作，須由採訪部門協同作業（註四）。對於尙未入藏之圖書報刊，是否有較好之裝訂版本，以及是否有缺頁、汚損等問題。採訪時卽可提出意見，以減輕裝訂工作之負擔。一般而言，圖書館儘量收藏精裝本之書刊，一則上架管理方便，再者可減緩裝訂的密度。甚至於在採訪平裝書刊時，可考慮先行送往裝訂。

4.其他有關行政之協作：採訪作業中的文書工作免不了要和行政單位會合辦理，人事任用，人員訓練，設備器材之添購，環境改善等事項，亦必須和行政部門協作共洽。

在圖書館的各部門作業範圍中，每一部門和另一部門，都產生一定的關連性。以採訪的觀點而論，這種關連性更屬重要。

註記:

一、見 Edward A. Chapman 所著 Library Systems Analysis Guidelines Wiley-Interscience 1970 出版 P. 7～13

二、「已購到館紀錄檔」卽英文中之 order-received file，「採購中紀錄檔」卽英文中之 outstanding order file。

三。「書名標準檔」卽英文中之 Tithe Authority File，「著者標準檔」卽英文中之 Author Authority File。

四、参見「圖書館學」一書中，張鼎鍾著「圖書館的技術服務——資料的徵集」中國圖書館學會出版。

第二章　採訪工作的特性

第一節　採訪工作的政策

任何事業的進行，都希望能在一定的範圍內預見一個結果，也就是都有一個明確的目的。同時，爲了達到目的，在各項工作的安排上，便立下了目標。有些工作立的是單一的目標，有些工作設定了一連串的目標。圖書館事業亦有一定的目的，圖書館事業中的採訪工作，也隨著訂定了各種性質的目標。爲了達到採訪目標，而制訂的採訪作業方策，便是採訪政策。

要瞭解圖書館的採訪政策，先要瞭解採訪工作的目標。要瞭解採訪工作的目標，必須先瞭解圖書館的目的。至於圖書館的目的，簡單地講起來便是服務大衆。

根據美國圖書館學家杜威所說的——提供適當的圖書，給適當的讀者，在適當的時間（註一）。便是圖書館服務大衆的三項準則。「適當的圖書」是指資料的內容而言的。「適當的讀者」是指服務的對象而言的，「適當的時間」是指經濟與效益而言的。透過揀選的方式，比較易於達到「適當的圖書」；透過讀者調查的分析，較易於達到「適當的讀者」；透過預估和評鑑的實施，比較易於達成「適當的時間」。這三項準則當中，尤以「提供適當的圖書」這一個目的，和圖書館採訪工作的目標直接有關。

二十世紀的圖書館學泰斗，印度籍的藍甘納薩曾經替圖書館業，制定了五項法則——圖書爲使用而生；每位讀者有其書；每册書有其讀者；節省讀者的時間；圖書館是一個成長的有機體（註二）。此五項法則被視爲是圖書館事業的指導原則，分別地道出了圖書館各部份工作的目的。其中「圖書爲使用而生」（註三）之法則，便是以採訪工作的目標爲基點而出發的。

一個圖書館不論其資料是否繁多，是否能形成豐富的知識資源，都必須把握住一個原則：凡是採訪進館的書本、期刊、地圖、視聽資料等材料，務必以提供使用爲最高原則。換言之，圖書館以掌握有效的資源爲準，寧缺勿濫地維持精簡的書册遠比只顧龐大的統計數字更爲重要。藍甘納薩氏在「圖書館書刋選擇」一書中亦指出：負責圖書採購的圖書館館員或敎師，應該注意到選購圖書對於讀者使用該書之機率。此語說明了採訪工作的目標是爲了供應各種使用機率高的圖書資料給讀者。採訪工作的目標重點在於「使用」。

由圖書館經營的立場而言，採訪工作的目標，若能順利地達成，可促使圖書館其他部份的功能，亦爲之有機會充份地發揮，在直接服務方面，做到每位讀者能讀到他所需要的書，在管理方面做到每本書都有很高的利用效率，最後，再進而達到「圖書館是一個成長的有機體」的總目標，確立圖書館在大社會中的價值地位。

各圖書館的總目的是一致的，每個圖書館都希望在其所處的社會中成爲發放力量的有機體。然而，各個圖書館所處的社會不盡相同，擔任的社會角色也隨之所處環境之不同而不一樣，所以，各別圖書館的目的也非一成不變的，爲因應各別圖書館在社會上所分擔的不同角色，各圖書館採訪工作的目標，必須保持一定的特性，這特性反映

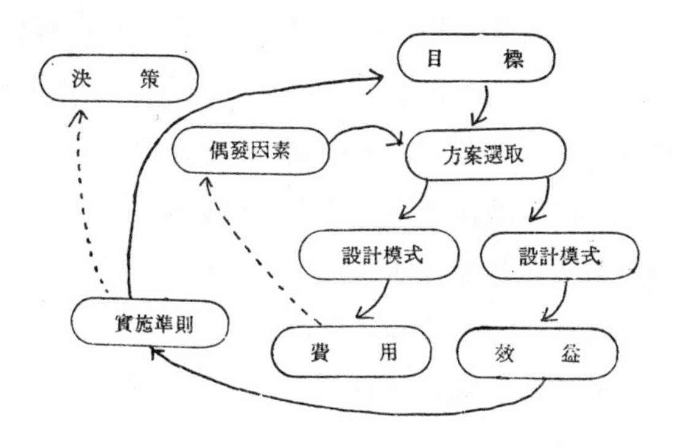

到採訪政策上時，自然而然地形成各有千秋的政策。

採訪政策固然各有特色，惟其制訂過程，可以歸納爲幾個明顯的因素，再由這些共同的明顯因素，整理出一套接近公式化的架構，作爲制訂的步驟與方式。制訂圖書館採訪政策的架構內容包括(1)目標(2)方案選取(3)設計模式(4)費用與效益(5)偶發因素(6)實施準則(7)決策。如下圖所示：（註四）

一、目標

不同性質的圖書館，採訪工作的目標亦不相同，隨之，採訪政策亦不相同。圖書館的性質粗略地可以分爲公共圖書館、學校圖書館、專門圖書館三大類。根據麥克勒斯的說法，採訪的目標乃是圖書館提供書籍予讀者的政策。（註五）公共圖書館的採訪目標，卽是公共圖書館提供藏書的政策；學校圖書館的採訪目標，卽是學校圖書館提供藏書的政策。專門圖書館亦同。（註六）

公共圖書館應提供下列性質的藏書：

(1)知識性及教育性之圖書。

(2)消息性的各種圖書資料。

(3)休閒娛樂性的資料。

(4)地方文獻。

學校圖書館應提供下列性質的藏書：

⑴與學校課程有關的學習參考資料。

⑵與教學及研究有關的圖書資料。

⑶與本校學生活動有關之各項資料。

專門圖書館應提供下列性質的藏書：

⑴提供與本單位事業有關的各種資料。

⑵提供與本單位事業相關的各種資料。

⑶提供適當的娛樂資料。

總之，採訪的目標必須和圖書館提供藏書的政策相配合。

二、方案選取

爲求目標能具體化的實現，並且產生一貫的功能，所訂的方案要有多方面的考慮。方案是接著目標而來的，擬訂方案的第一步，必須把大目標分解成若干小目標，並規畫出短期完成之目標，中程完成之目標，及長程完成之目標。每個方案所涉及的客觀要件，亦需詳細的說明，以供決策者參考。譬如說：圖書館要闢多少個閱覽室；各閱覽室的書籍怎樣調配；分館與總館之間實施分置收藏，還是集中收藏，或是巡廻利用，整個的收藏目標如何決定等，都是方案的內容。方案就是計劃書，看到了方案要使人感到目標在望，即時可行。

三、設計模式

設計模式由方案而來，也等於是方案的執行步驟。設計模式中所包括的是如何採訪？何時採訪？何地採訪？何人採訪？採訪何物？等幾個部份的問題。

關於如何採訪的問題中，可以考慮到交換、索贈、寄存等方式的可行性，減少正面採購的壓力。

關於何時採訪的問題，牽涉到重點秩序的考慮，孰先孰後，分成若干次採訪，或是流水帳式的零星採訪，或是集中式的整批採訪。工作時間的安排也是一項重要因素。

關於何地採訪的問題，便是直接採訪或間接採訪的分配問題。外國資料的蒐集，也不宜完全集中於某一地區，某一國家。這是關於何地採訪的另一個問題。

關於何人採訪的問題，係指由圖書館員經手辦理採購工作，或交由其他行政人員辦理，或者部份委託代理商辦理。以及交換工作由圖書館自己辦理，或透過交換中心辦理等問題。

關於採訪何物則是媒體的分配問題，也是設計模式中最重要的問題，諸如採訪圖書、期刊的分配比率，採訪現刊期刊和逾期期刊（或合訂本）的分配比率，採訪視聽資料和一般資料的分配問題等，都是採訪何物的核心問題，也是設計採訪模式時的技術問題。

四、費用與效益

費用與效益的衡量，往往據以判斷作業效率是否合於理想。費用高並不表示效益一定也隨着偏高，費用低也並不一定代表效益偏低。

費用的問題，除了付款技術、折扣、運費、服務費之外，保險費也是不可省略的一項。

效益的問題，雖是一種回收的計算，也可以用預估的方式來測量。圖書館中的效益，除了講究實質的使用率外，對於無形的效益，也需要加以估計。

和費用及效益兩者均有影響的是——邊際效用的因素。圖書採訪工作中，必須加入「邊際效用」的概念，作爲決定採訪政策執行上的一個因素。例如：複本書的購置，同類同性質書刊的採訪等等。

五、偶發因素

爲了達到目標，政策的制訂，往往需要保留若干彈性。以備在偶發因素下，仍不致完全影響到目標之完成。例如，圖書市場的急驟變化，書刊之漲價，接到大筆額外之捐款，經費突然減縮，目標的暫時修訂，運輸上之意外事件等等，都是偶發因素。這些偶發因素對於採訪政策的制訂與實施，均爲重大的挑戰。爲減低偶發因素的發生，應安排應變的打算。

六、實施準則

由採訪的目標，採訪的方案，執行上的設計模式，費用與效益的核計，偶發因素的考慮等一連串的採訪作業研究之後，必須歸結爲一個實施準則。實施準則是採訪作業研究到採訪政策施行之間的一座橋樑；也是工作程序和細則。根據實施準則，得以按步就班的進行採訪業務。

七、決策

決策屬於工作程序上的產物，圖書館採訪業務具有一定的程序，因此，採訪業務也產生了決策的問題。

爲了達成預定的目標，從各種方式中決定一項行動方案便是決策。在採訪業務的程序中，凡遇到需要選判時，便產生決策。小的選判工作可由個人作決策。大的選判工作，則需要委員會或團體來決策。在圖書館的採訪業務中，各種有關的選判事務分別由圖書館委員會，圖書館館長，採訪部負責人，以及採訪工作承辦人負責處理，因此，他們在一定的層次內有他們的決策權。重視決策，有助於達成目的和擴展目標。當然，採訪政策的制定是採訪作業程序中，最高層次和最重要的一項決策。

採訪政策的功能一方面是爲了達到採訪工作上的目

標，另方面是爲了達成圖書館服務的目的，因此，採訪政策是圖書館整個採訪工作中的中樞神經。

註記：

註一：Melvil Deway 杜威。於一八七六年在美國芝加哥城提出 To provide the right books, For the right reader, At the right time。三個R之準則。

註二：Ranganathan 藍甘納薩於一九三一年開始提出了：Books are for use, Every reader his book, Every book its reader, Save the time of the reader, The Library is a growing organism. 五項法則。

註三：劉清先生在香港圖書館協會會報第四期上建議五大法則應譯為：

第一條：所有圖書是為使用的。

第二條：每位讀者（有）他（所要）的書。

第三條：每本書（有）它的讀者。

第四條：節省讀者的時間。

附則：節省員工的時間。

第五條：圖書館是一個成長的機體。

註四：參見 Jeffrey A. Raffel 著 From Economic to Political analysis of Library Decision Making 一文。該文刊於 College and Research Libraries Nov. 1974. V. 35. No. 6 P 412-423.

註五：麥克勒蘭 McClellan 認為 Objectives as Book Provision Policies。

註六：參見顧敏著「知識傳播與圖書館服務」一文中有關圖書館在知識傳播上的特徵一節。刊載於中國圖書館學會會報第三十期第七十三頁。

第二節　採訪工作的項目與分工

採訪工作中包含著許多的作業項目。

採訪作業量大的單位，比較注重工作項目的劃分，各分項工作的特性，也很明顯的表現出來。採訪作業量小的單位，往往歸併若干項目，合一而作，各項目的特性，也被冲淡而不顯著。根據民國二十八年教育部公佈的公立圖書館規程所訂之圖書館工作實施辦法的記載，對於圖書館採訪工作僅簡單的舉出：①選購、徵集圖書文册及地方文獻。②辦理圖書交換事宜。③整理書店出版之圖書目錄及其他輔導選購圖書用具。④辦理圖書登記,並編製圖書總計等四個項目。從這個正式辦法的規定看來，採訪作業的分工項目，並不很清楚。採訪作業的範圍，也欠周詳的涵括。

採訪工作大體上可分爲作業設計與作業執行兩部份。採訪作業設計通常由圖書館委員會、圖書館館長、採訪部負責人共同擔任；採訪作業執行的大部份項目，由採訪部門負責完成，也有少數工作要項，並非由採訪部門獨力作業，而由採訪部門配合其他部門在協同作業的狀況下才完成的。譬如，書單的核定通常由圖書館館長或圖書館委員會來決定；付款的辦理，通常由會計部門辦理；單獨設立期刊部門、視聽部門之圖書館，有關期刊和視聽資料之採訪，往往由該部門擔任較重之角色。

圖書館中的採訪部門，雖然未包攬採訪作業的每一個項目，相反地，却擔負了若干不完全屬於採訪作業的工作項目。例如，有的圖書館採訪部兼管複製及複印的服務，有的圖書館採訪部兼領期刊的出納流通；督導全館的書目收藏等等。(註一)

一般所謂的採訪工作項目，是以一個採訪部門所進行的執行性作業爲準；僅以一個受重視的大專院校圖書館及正常發展的公共圖書館所應具有的作業爲度，加以擧例說明之。根據「大學圖書館行政」(註二)一書所訂之採訪工作的作業項目有:

1.瀏覽及評估各種圖書和資料。

2.訂定購書、選書的政策，制訂徵集圖書，叢刋，小册，文獻和其他資料的工作程序。

3.研究讀者對圖書及其他讀物的需要性。

4.認眞考慮讀者所提出之圖書或資料的請購。

5.查核訂購單中有關書刋或資料的書目紀錄。

6.發出圖書訂購單，查核發票及帳單。

7.建立各種必要的書單（指圖書館採訪人員主動去蒐集適合本圖書館所需的書目資料，以供採購之用）

8.訪問書商，參觀書店、書展等，進行訪求工作。

9.與出版者及圖書代理商進行聯繫；瞭解圖書市場的行情。

10.掌理交換及贈送。

11.找尋、覓求絕版書刊。

12.建立並維持採訪處理過程中各種有效的紀錄。

13.控制圖書經費的預算。

根據王振鵠教授所著「圖書選擇法」一書中（註三）對於採訪部的工作亦開列十三項：

1.分配及運用購書預算。

2.蒐集有助於採訪工作的目錄工具。

3.與出版商、書商，保持聯繫。

4.編製圖書資料訂購紀錄。如已購，待購和訂購中的各項紀錄。

5.繕發和排存訂單、訂卡。

6.驗收到館的圖書資料。

7.辦理編目前的一般準備工作，如登錄、蓋章等。

8.管理帳目以及辦理付款報銷等會計手續。

9.通知介紹單位或個人有關推薦書刊購辦情形。

10.訂購及驗收所訂之期刊和連續性出版物。

11.辦理書刊資料交換和贈送事宜。

12.追查未能及時收到的書刊資料。

13.辦理書刊裝訂工作。

同時王書中更指出，除辦理採購、交換、贈送外，圖書館中主要負責採訪作業的採訪部，尚有四項主要任務，即㈠協助選擇圖書資料。㈡分配及控制預算。㈢協調圖書資料的採購與徵集工作。㈣供應採訪資料及消息。

大體上而言，「大學圖書館行政」一書中所言之重點在於訪求，以及如何建立各種必要的書單，而「圖書館選擇法」一書中所言者，均為依據實際工作的程序，提出淸晰扼要之說明，務實性相當之高。

依上述兩書中所示的如許工作項目，要辦理得迅速而有效，必須要有適當的分工，並分層授權與負責才能達到理想的成績。在西方國家的習慣裏，圖書館採訪作業的責任，通常直接屬於圖書館主管，亦即圖書館館長常自兼採訪部門的負責人（註四）。這種習慣在我國不多見。因此，我們圖書館的採訪工作應更具有獨立性才對。除行政及政策之外的採訪業務，有多種不同的劃分方法，有時並分股辦事。一般而言，採訪業務約可按下列幾種標準分工：

一、依資料來源區分：可分為訂購、贈送、交換三股辦事，通常贈送與交換，因工作量之關係又合併在一起，而形成兩股辦事。

二、依資料種類或形式區分：可分為書籍、期刊、政府出版品、非書資料等股辦事。有些圖書館因工作量之關係，又僅分為圖書、期刊和非書資料兩股辦事。

三、依綜合性的工作多寡量而區分：可分爲選書、採購、期刊、贈送、交換、裝訂及影印、視聽資料等幾個股辦事。這種分工方式，通常是作業量大的大型圖書館才採用。

採訪業務的分工未必一定要分得愈細便算愈好。分工的準則應該以作業量的數量，和作業程序上的分嶺，而分工之。不然很難達成理想的成績。

至於屬於設計性之行政管理，由採訪部（或採編部）的主管及圖書館館長分層負責，並由圖書館委員會，擔任顧問或擔任督導性質的任務。

在「圖書館委員會——圖書館館長——採訪部主管——各股分工辦事」的分層負責之下，配合適當的採訪政策，合理分工及一貫的執行必能產生優良的績效和成果。

註記：

註一：見 Encyclolopedia of Library and Information Science vol. 1 P. 64.

註二：見 College Library Administration 一書，第六十四頁。

註三：見王振鵠著「圖書選擇法」一書第九十頁及第九十五頁。該書由國立臺灣師範大學圖書館出版。

註四：同註一。

註五：參見張鼎鍾著「圖書館的技術服務——資料的徵集」一文中有關採訪部組織與人員一節，收錄於「圖書館學」一書，第二五二頁至二五三頁。該書由臺灣學生書局出版。

第三節　各類型圖書館的採訪工作

不同類型的圖書館，所服務的對象不相同，採訪工作所負的任務，也隨之不相同。國家圖書館，公共圖書館，大專院校圖書館，機關圖書館，中小學圖書館都是具有各別特性的圖書館。在採訪工作上而言，也各有其不同的任務。分別敍述如下：

一、國家圖書館的採訪工作與任務

在各類型圖書館中，國家圖書館的任務最爲繁重，採訪工作的規模也最大。國立中央圖書館首任館長——蔣復璁先生，在「珍帚集」中指出：國立圖書館有「集中」圖書的任務；並謂集中圖書包括㈠民族文化的集中。㈡世界知識的集中。㈢各科學術的集中（註一）。集中圖書，必須要經過圖書採訪的工作。國立圖書館既有巨大的集中任務，其採訪工作也是鉅大的。

一九六七年聯合國教科文組織所出版的「圖書館彙報」第二十卷第四期中，刋載了英國伯明罕大學圖書館館長韓福瑞先生所作的「國立圖書館的任務」一文，根據該文的意見，國家圖書館的任務，可以區分爲主要任務、值得承擔的任務、次要任務三部份（註二）：

主要任務包括: ㈠保存國家文獻。㈡實施呈繳制度。㈢收藏外國文獻。㈣出版國家書目。㈤國家書目資料中心。㈥出版現代書目。㈦展覽工作。

值得承擔的任務包括: ㈠館際互借工作。㈡手稿收藏工作。㈢技術研究工作。

次要任務包括: ㈠國際交換工作。㈡分送複本工作。㈢盲人服務工作。㈣專業訓練工作。㈤技術協助工作。

韓福瑞氏所提出的任務優先及輕重秩序，不一定符合我們的情況，但是他對於國立圖書館的工作大綱，確實敍說的比較清楚，在他所指出的各種任務中，大都要透過採訪工作來完成，或與採訪工作有關。例如：保藏國家文獻，實施呈繳制度，收藏外國文獻，手稿收藏工作，國際交換工作，乃至於出版國家書目，出版現代書目等，均和採訪工作直接有關或間接有關。

民國二十九年公佈，三十四年修正之「國立中央圖書館組織條例」及民國三十五年公佈之「國立北平圖書館組織條例」，及民國三十七年公佈之「國立蘭州圖書館組織條例」之中，於各條例第二條第一款均明文設有「採訪組」，作爲組成國立圖書館的主要單位之一。採訪單位在國立圖書館中的地位，是堅固而有力的，這代表了國立圖書館的採訪工作也是極其重要的。

國立圖書館在圖書館界有「圖書館的圖書館」之稱，國立圖書館的採訪工作，亦應以此爲目標而努力。

二、公共圖書館的採訪工作與任務

公共圖書館一般是指省市縣立圖書館爲主，並兼及鄉鎮圖書館室及私立公開之圖書館。舉凡開放給一般民衆利用之圖書館均稱爲公共圖書館，惟本節討論者，以省市縣立圖書館爲代表，其餘的在性質上可類推之。

根據「各省市公立圖書館規程」第一條所示「各省、市公立圖書館以儲集各種圖書及地方文獻，供民衆閱覽爲目的，……以提高文化水準」中獲知，公共圖書館有「儲集」之任務。而此「儲集」任務，主要的是經由採訪工作來達成。又根據中國圖書館學會第十屆年會通過之「公共圖書館標準」中所示，公共圖書館蒐集圖書的目的，在使民衆①繼續教育自己；②保持其智識與各種學科同時並進；③成爲家庭與社會之優秀成員；④克盡其政治上與社會上之職責；⑤增加其職業上之技能；⑥發展其創造力與心智之能力；⑦養成其欣賞美術音樂及文學作品之興趣；⑧有效利用閒暇，以增進其個人與社會之幸福；⑨貢獻其智慧，促使學術進步。（註三）

簡而言之，公共圖書館除採訪地方文獻、保存地方史料，配合地方政府施政外，爲達到提高地方文化水準之目的，必需要採訪與當地社會發展有密切關係之各種圖書資料。公共圖書館的採訪工作，應該包括下列各項重點：

1.配合地方發展

2.提高知識水準

3.促進國民生計

4.鼓勵休閒活動

為配合地方發展，要廣徵地方上的各種文獻，培養吾愛吾鄉之意識。為提高知識水準，要選購各種學科的入門性書刊，起造一個民衆的知識水庫。為促進國民生計，要預備各種消息性的資料；法令上的消息性資料，農牧技術上的消息性資料，工商交通上的消息性資料，形成一個民衆的顧問中心。為鼓勵休閒活動，要安排各種遊藝、文藝、民間藝術、小說、輕鬆報刊等圖書與資料，劃圖書館的一部份，為民衆活動場所。

根據該項公共圖書館標準第二十三條至第三十一條之規定（註四）公共圖書館的圖書資料應包括書籍、小册、雜誌、報紙、地圖、畫片、電影片、幻燈片、錄音帶、樂譜、及縮影圖書等。縣市圖書館圖書的藏量，應按所服務地區人口計算，至少每五人一册，每年應按五十人增添一册計算。這是發展初期的標準，時至今日選藏圖書量的標準，更應提高才對，因此公共圖書館的採訪工作，要配合多方面地活動，也就是要配合民衆生活的各種活動。

三、各級學校圖書館的採訪工作與任務

大專院校、中等學校、國民小學在本質上都是正統的教育機構，在知識程度上則有不同。各級學校的圖書館在設置的目的上是一樣的，在性質上因程度不同而不同。學校圖書館的第一個任務是配合教學措施，第二個任務是配合教學研究，大學院校的圖書館還有支援研究計劃的任務。在有些國家的各級學校圖書館，還負有部份社區服務的任務。總括而言，各級學校圖書館，均屬於教育性質。

各級學校圖書館採訪工作的第一個藍本，便是學校裡的課程，根據課程的需要，選擇適當的圖書供學生閱讀。各級學校圖書館採訪圖書的第二個藍本，也是學校的課程，根據課程選擇適當的圖書供教師研究與參考。各級學校圖書館的第三個採訪藍本，是注意學生在知識上、心智上、情操上的均衡發展。提供課程以外的一般知識。除此三個主要的藍本外，各級學校的圖書館都要蒐集和本校活動有關的各種文獻與資料，也就是廣義的校史資料。

根據中國圖書館學會所訂之「中學圖書館標準」所示（註五）中學圖書館的採訪應以基本參考書為主。包括字典、辭典、百科全書、年鑑、手册、指南、書目、索引、輿圖等工具書，以及各科重要著作。學生人數在一千人以下之初級中學最低應備五百種，高級中學最低應備七百

種。一千人以上者，初中最低應備七百種，高中最低應備一千種。中學圖書館的館藏數，最低限度每一學生應分配五册書，每年增加率爲每二至四人增添新書一册。各科圖書採訪的比例如下：

類目	類屬舉要	百分比	
		高級中學	初級中學
總類	字典、辭典、類書等屬之。	6	5
哲學	論理、心理、倫理等屬之。	3	1
宗教	佛道、基督、回教等屬之。	1	1
社會科學	教育、政治、經濟、法律等屬之。	12	12
國語文字	各國語言屬之。	5	3
自然科學	數學、天文、物理、化學等屬之。	11	11
應用科學	醫學、農業、工程、製造等屬之。	10	10
藝術	音樂、體育、圖畫、雕刻、攝影等屬之。	9	9
文學	散文、戲劇、小說等屬之。	25	28
史地	中外歷史地理、傳記、遊記等屬之。	18	20

根據最近新擬之「大學及獨立學院圖書館標準」(註六)所示，大學院校圖書館的採訪工作應包括圖書與非書資

料；範圍有期刊、官書、論文、手稿、檔案、輿圖、樂譜、小册子、影印與縮影資料及視聽資料等。任何學校，不論規模大小，都應具備基本藏書五萬册。縮影及錄音資料每捲以一册計算，每有一學生，另增加三十册，每增加一博士班，另增加一萬册，圖書增加量，每年不得少於藏書總册數的百分之六。關於專門性之期刊，每一研究所不得少於二十種，每學系不得少於十五種。一般性的期刊視需要另訂。

各級學校圖書館的採訪工作，均係配合學校的施敎計劃，採訪工作的發展，也和施敎計劃的發展密切相關。

註記：

註一：見蔣復璁著「珍帚集」第十八頁至二十四頁。

註二：見「國立圖書館之任務」一文，Hunphreys 原著，王征譯，刊於東海大學出版，圖書館學報第八期第221～229頁。

註三：見中國書館學會會報第十五期，第四頁至第九頁。

註四：同註三。

註五：見中國圖書館學會會報第十二期，第二十二頁至第二十四頁。

註六：見中國圖書館學會會報第二十七期第四十七頁。

第三章　書籍的選擇方法

第一節　圖書館選藏圖書的範圍

知識是個抽象的名詞，必須要經過媒體的紀錄，而後得以「具體」的保存。一般我們都以「圖書」這個名詞，代表「具體化」的知識。現代所說的「圖書」二字，有其廣義一面的意義，不僅僅指以紙張爲媒體的圖籍，還包括非紙張的知識紀錄媒體。譬如藍甘納薩圖書館學五大法則中第一法則「圖書爲使用而生」的圖書一詞，即指泛意的圖書。圖書館所選藏的圖書，也以廣義的界說爲準，因此圖書館所選藏的範圍非常的廣泛，用二分法的原則而言；圖書館既要選藏政府出版品（官書），又要選藏非政府出版物；圖書館既要蒐藏發售的出版品，又要蒐藏非賣品的出版物：圖書館既要收集公開的資料，又要收藏非公開的資料。根據媒體的形態而言，圖書館選藏的範圍包括：圖書、叢刊、論文或報告、手稿及檔案、小册、輿圖、縮影及複印資料、各種視聽資料等，收藏的範圍非常廣泛。分別說明如下：

一、圖書

圖書爲圖書館主要的收藏，範圍自我國的宋元舊槧，和西洋的古搖籃本（Incunabula），一直到近代各科名著。圖書又可分爲參考書、一般圖書、學術專論、珍善本圖書等幾項。

㈠參考書：參考書有廣、狹之分。廣義而言，凡是可供人採擷、取用、閱覽的，都可以叫做參考書。狹義而言，參考書指蒐集資料依照方法編纂，便利讀者以尋檢爲目的的圖書。圖書館中所稱之參考書係指後者，參考書也可稱爲工具書。包括各種字典、辭典、類書、百科全書、年鑑、書目、索引、指南、輿圖、統計等。（註一）參考書與一般圖書的不同點有四：

⑴部份閱讀：參考書主要的目的是供查找資料，一般只閱讀其中的一頁、一段、或一部份文字，甚少從頭至尾閱讀的。

⑵特殊編排：參考書不似一般書，分章分節分小節等排列，而是按照檢字法，如部首，或分類法編排。

⑶檢索便利：參考書中每一項目內的資料，均按一定的格局撰述，如中文字典均按字形、字音、字義、註解的順序記述。故檢索特定資料極爲便利。

⑷內容廣闊：不論是一種學科的專科參考書或者是

一般性的普通參考書，它的內容所涉及的範圍，都比一般書籍要廣闊許多，眞讓人有「上窮下落」的感覺。

㈡**一般圖書**：一般圖書包括基本性讀物及小說兩類。基本性讀物卽英文中的成人讀物，包括各種學科的入門性圖書，文藝作品等。凡受過基本敎育的人，都能閱讀之圖書，稱作基本性讀物，基本性讀物的內容具有「深入淺出」的知識性。小說則包括眞實小說和虛構小說兩種。有人認爲小說中不含眞知識，所以圖書館不必重視，這也不盡然如此，小說往往能引發人的思考，有些劇作、文藝，都由小說改編而成。基本性讀物和小說合在一起，便叫作一般性圖書，一般性圖書是人人可讀之書，適合大多數人的胃口，因此，很受圖書館界選藏上的重視，尤其公共圖書館更是看重它。

㈢**學術專論**：學術專論是純學術性的作品，與一般性圖書不同。就知識程度而言，學術專論的精專度比較高，內容也比較深奧些。利用學術專論的人數，在比例上要比閱讀一般性書籍的人少一些，可是學術專論確有很重要的價值，許多問題都仰賴學術專論的研究，而獲得解決，譬如，種植上的問題、國際貿易的問題、環境污染的問題等，都有賴學術專論的解答。圖書館一向都很注意學術專論，尤其是大專學校圖書館及專門圖書館更爲倚重它。

㈣**珍善本書籍**：珍本或善本書，一般是指印刷精良而難得的書籍，或者是已成爲罕見版本的圖書。對於文史方面的研究而言，珍善本書籍俱有考證的用處或作精深研究的用處。我國宋元明的刋本及抄本，清代及近代的精鈔本、影印本、石印本、各家手批本、手校本等等都屬於珍善本書籍。西洋的珍善本大多指公元一五五〇年以前刋印的書籍，或是一七〇一年以前出版的英國書籍，乃至一八〇一年以前美國出版之書，也列入西洋珍善本書籍之林。（註二）

二、叢刋

叢刋這名詞知見於圖書館學界，不顯於其他各種場所，叢刋在英文裡稱 Serials。一般的圖書館中，除圖書而外，叢刋是第二重要的收藏。叢刋包括期刋及連續出版品兩大類，其中期刋又包括雜誌及報紙兩類；連續出版品（英文名稱 Continuations）又包括年刋、報告、議事錄等項。我們如果把叢刋中的各族各系，加以歸宗譜列地表示出來的話，可以得到下列的一個說明圖表(見下一頁)，而對於若干相類似的名詞，獲得比較清晰的識別，並可免去混淆使用之憾。

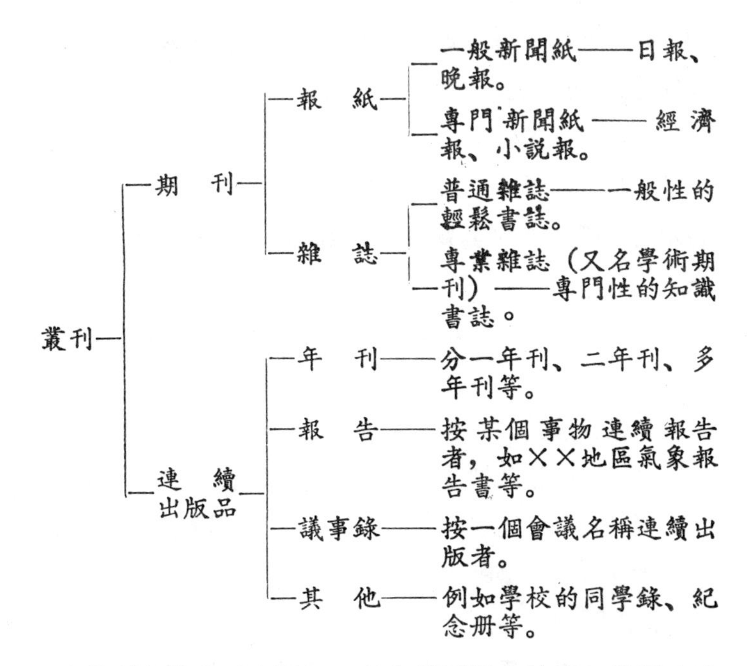

叢刊中的各項出版品，各有其界說與範圍，簡單分述如下：

㈠**期刊**：基本上期刊具備四項條件，即①有一定的刋名。②有一定的編號順序。③繼續性的出刋，出刋間隔在一年以內者。④各期內容的編排，具有一定的版式及標準。期刊又可以分爲報紙及雜誌兩類。

1.報紙——凡是用一定名稱，每日或每隔六日以下的期間，按期發行的出版品，叫做報紙。（註三）報紙的主要內容是新聞性的，包括各方面的新聞，各行各業的新聞。報紙有助於解答日期、事件、政策、輿論、政治、人物等方面的問題。

沒有一個圖書館不訂報紙的。圖書館所訂的報紙應包括國際性、全國性、地方性及社區性等四種不同鉅細範圍的報紙。如需剪輯報紙資料時，至少要訂購二份以上。

2.雜誌——「雜誌」是一個大衆所熟悉的名稱，又可以分爲普通雜誌和專業雜誌兩種。在圖書館裏，普通雜誌均和報紙置於同一個閱覽室，一般被認爲是比較輕鬆性的讀物。專業雜誌則被認爲是嚴肅性的研究資料。專業雜誌，通常又別稱爲學術性期刊，在圖書館裡，往往另闢專室供衆利用。本書第六章將專述有關以學術性期刊爲主的期刊採訪問題。

㈡連續出版品：連續出版品和期刊之差異點共有三項：①連續出版品無一定的特定刊名，各期之間，只有一個概括性的類似刊名，例如第××屆農田水利會議報告等。②連續出版品雖亦屬分期刊行物，惟沒有特定的卷期編號，只有出版的自然數序爲先後。③連續出版品一般出版的間隔較期刊出版的間隔爲長。

連續出版品常[illegible]各種會議紀錄、會報、專業或業務報告書等。內容方面大都爲研究性的資料。有些圖書館將連續出版品視作圖書處理，有些則擇取一部份半年刊，年刊之類的，列於期刊室當作期刊處理。

三、輿圖

凡是描繪 地球層面 各種情況 與狀態的圖幅 均稱爲輿圖。我國古代向極重視輿圖，所謂「河圖洛書」、「左圖右書」即是證明。輿圖包括 自然地理圖、人文地理圖、歷史地理圖、氣象地理圖、航海地理圖、立體 地理圖型等。（註四）

㈠**自然地理圖**：所顯示的是山脈、河川、湖泊、丘陵、盆地、平原、沙漠、峯嶺、澤地、森林、海洋、陸地、島嶼、沙洲等地表上的自然形成物。

㈡**人文地理圖**：所顯示的是都市、城鎭、村里、街道、港口、公路、鐵路等交通線，作物、生產、經濟等人爲之地形與地物。

㈢**歷史地理圖**：所顯示的是某一空間領域中所發生的時間上的變遷，包括人文及自然兩方面的形成物。

㈣**氣象地理圖**：所顯示的是大氣變化，洋流變化等情況圖。

㈤**航空航海地理圖**：所顯示的是一種完全應用性的地圖，也就是在一定空間內有關的交通線及交通標誌圖片。

㈥**立體地理圖型**：所顯示的是一種呈立體狀態比例的地理圖，比一般地理圖更具傳眞感。

圖書館所選藏之輿圖，應包括單幅輿圖、成册的地圖集、和立體地理圖型等三種。若能選藏新式的透視地圖當然更佳。

四、縮影資料

縮影資料是近年來迅速發展的一種媒體，係利用光學原理紀錄文字或圖表，並透過閱讀機或閱讀複印機來閱讀及複印資料內容。(註五) 縮影資料在英文裡叫做 Microforms。

縮影資料的最大優點是極度節省儲存空間，而儲存空間的問題，正是每一個圖書館都感到困擾的事情。因此，縮影資料在圖書館中愈來愈受到重視。本書第七章中，將詳細地討論縮影資料的採訪問題。

縮影資料的種類很多，圖書館中最常選藏的包括成捲縮影、單片縮影、夾檔縮影、孔卡縮影等種。

五、小册

一般國際上的看法，認爲不滿五十頁的印刷品叫小册。小册的特性包括下列五點：①不一定有正式封面。②不一定經過正式的裝訂。③一份小册紀錄一件事務。④可讀性很高。⑤時限性不如一般書籍長。

小册中最受閱讀者歡迎的是 8 頁至16頁的册子。根據傳播學上閱讀心理的統計，凡在五分鐘至十五分鐘內，能一口氣讀盡的資料最受歡迎，被閱覽的比例亦高，因此，小册的內容，具有很好的傳播性。小册如同知識媒體的「游兵餘勇」所放出的力量是不容輕易忽視的。若加以適當的整編，可發揮大用。

圖書館中一方面蒐藏大量的小册，一方面也隨時淘汰大量的小册。

六、論文、手稿及檔案

學習者或研究者所撰寫的文章稱爲論文。論文一般又分爲學位論文及研究論文兩種，學位論文包括畢業論文、碩士論文、博士論文等；研究論文或爲工作上的需要或業務上的要求而撰述。不論是學位論文或研究論文，總有一部份屬於非公開發表的。因此，選藏論文並非易事。

手稿和檔案都是第一手的原始資料，非常珍貴。手稿包括兩種，一爲寫定未刋之著述；一爲已刋之原著稿，例如，手札、日記、原稿等，都屬手稿。檔案則是機關辦理業務的各種紀錄，包括公文、函牘、公告、通知等。手稿和檔案，大都是不公開的，而研究價值却很高。

圖書館對於論文、手稿、檔案等，在可能的範圍內，亦應盡量選藏。尤其屬於具有學術性質的圖書館，更應重視此等資料。（註六）

七、視聽資料

視聽資料是圖書館常運用的媒體。視聽資料的範圍很廣泛，一般公認而常利用的包括影片、幻燈片、唱片、錄音帶、錄影帶、剪輯、圖片等若干種。(註七)

㈠**影片**：影片分爲十六厘米、三十五厘米、七十厘米等種，圖書館常用者爲十六厘米之影片，其次爲三十五厘米，圖書館收藏之影片，以教育性、紀錄性的內容爲主。

㈡**幻燈片**：幻燈片通常爲單張型，利用幻燈放映機連接各幻燈片。近年發展之盤式同步幻燈機，使得幻燈片的使用，起衰而振。

㈢**唱片**：唱片包括每分鐘十六轉、$33\frac{1}{3}$轉、45轉、78轉等不同速度之唱片。圖書館收藏的唱片以語文、音樂、劇曲等並重。

㈣**錄音帶**：包括盤式錄音帶，卡式錄音帶，匣式或盒式錄音帶。盤式錄音帶通常不出借。新近圖書館對於讀者，亦有提供錄音拷貝的服務。

㈤**錄影帶**：錄影帶通常提供閉路電視，或專線電視節目放映之用。

㈥**剪輯**：剪輯是圖書館自身創製出來的資料。利用散見於報章或其他印刷品上具有參考價值的資料，加以剪取，整貼，編排而成。

(七)圖片：圖片也是圖書館工作人員整理出來的資料，將報刋資料所刋印的圖片，剪貼在一定的硬質紙上，分類而集，各種原始圖片圖書館也應當加以採集。

圖書館選藏的範圍很廣，不僅僅限於狹義的圖書，各種不同性質的媒體，在採訪工作上大都有制宜的特性，將分章提出討論。

註記：

註一：參見李志鍾編著「中文參考用書指南」第四十一頁，該書係臺北正中書局出版。

註二：參見王振鵠著「圖書選擇法」第三十三頁，該書係臺北國立臺灣師範大學圖書館出版。

註三：根據出版法之規定。

註四：參見劉國鈞著「圖書館學要旨」第四十七頁。該書係中華書局出版。

註五：參見顧敏講「縮影資料之利用」，漁業科技資訊利用研討會會議手册，第七十三頁，臺北，農業科學資料服務中心印。

註六：參見王振鵠、趙來龍合撰「圖書資料的選擇」一文中有關論文、手稿及檔案部份。刋於「圖書館學」一書第一九八頁至一九九頁。該書由臺灣學生書局出版。

註七：同註二及註六。

第二節　選擇圖書的原則

早先的書籍收藏單位，只顧兼收天下之書，無所謂圖書選擇之事。古代圖書館的圖書選擇，主要的目的在鑑別僞書。印刷術流廣之後的圖書選擇工作，主要的重點在於版本上的取捨。晚近圖書館的圖書選擇工作，一方面爲了達到「知識責任」的人文目的；另方面爲了促進「人類發展」的社會目標。以知識責任而言，五四運動的健將羅家倫先生曾慨乎言之的說：

『嘗聽見中國一句古話道：「開卷有益」。這話是對的嗎？大大的不見得！開不到好的卷，反而有非常的害處。錯誤的、不正確的知識，比毒藥還厲害。毒藥不過毒壞人的身體，壞書簡直毒壞人的心靈。一包毒藥不過害死一兩個人，一本壞書可以害死無數的人。

所以有「知識責任」的人，不祇是盲目的勸人讀書，而且要教人讀好書——標準的書。』（註一）

這種嫉惡如仇的道德勇氣，正是人文精神的表現，也是擔負「知識責任」的人，所應具有的一種氣質。圖書館員也屬於負有知識責任的一員。尤其是公共圖書館館員，這種責任更大，也就更宜知曉於這種精神與氣質。

另外，邢雲林先生在「圖書館圖書購求法」一書中，也指出選書「以獲得高尚圖書供諸讀者爲最高之目的」（註二），這種說法也表明了圖書館具有「知識責任」的人文使命，故圖書館必須選擇性的提供圖書給讀者。

另一方面就社會功能而言，圖書館所以選藏圖書，乃是爲了滿足讀者的需求，並致力於支援各種爲「人類發展」而努力的工作，這種發展分屬於物質、精神、道德等不同性質的範圍。

麥高文曾於一九三〇年代在西方圖書館界提出了一套圖書選擇的理論（註三），他認爲圖書選擇是圖書館中最基本的任務，或者稱爲最基本的職能。優良的圖書選擇會導引出優良的讀者服務。選擇圖書時除了要注意書籍在知識上的價值地位外，還要顧及到書籍在一個社會中的需求性。因此，麥高文創立了一項純理論的圖書選擇評分法（註四）。兹引兩個例證說明如下：

例證一：

假設一書A的知識價值爲10，另一書的知識價值爲1，而這兩種書的社會需求性均爲6。則A、B兩書的選擇評分爲60：6，以A書的評分爲高，亦即選擇A。

例證二：

假設例證一中所述的A、B兩書，A的社會需求性爲6，B的社會需求性爲72。則這A、B兩書的選擇評分分別爲60：72。以B書的評分爲高，亦即選擇B。

基於這項理論的研究，麥高文甚至認爲有些以「最佳選讀書目」爲號召的標準書目，實際上對於圖書館的讀者沒有多大的用處，標準書目裡所選錄的書籍，都是以該書「本身的優點和價値」作爲選擇的準繩，也就是僅以人文的價値（英文裡叫做 Cultural Nature）爲度。圖書館中對於圖書的選擇，一方面固然要重視書籍本身固有的人文價値，同時還要顧及到人文以外的價値，也就是社會上的服務價値。因此，圖書館不可僅依持「標準書目」爲唯一的選書標準。

繼麥高文之後的西方圖書館學界人士，如椎瑞、布斯威克等人（註六）在討論到選書準則問題等，均以麥高文氏的社會運用理論爲主要的討論內容。排除了純人文價値的選書原理。

不論是從人文的目的爲出發，或是就社會的目標爲起點。圖書之需要選擇，尤其是圖書館中的圖書選擇，被公認是一項重要的事情。那怕是留在「每一本書都是好書，每一册書都是有用的書」的圖書伊甸園裡，我們仍然是需要選擇圖書的。因爲，時至今日，沒有一個圖書館能收盡世上的所有圖書。非公開出版的尙且不計，就是公開發行的出版品，也辦不到儘收之功。

那麼，我們地球上的出版品大約有多少呢？有那些書籍可供我們選擇呢？

根據亞倫•甘特在「圖書館的資源及分配」一書中指出：全球在1974年時的圖書出版品及各圖書館收藏的比例情況如下：

一、自西方哥騰堡活字印刷以來，共計出版了三千萬種圖書 (Unique Titles)；有些圖書館收藏了其中的百分之五以上，也就是收藏一百五十萬種以上。有些圖書館的收藏，低於百分之零點五，也就是收藏低於十五萬種以下。

二、1974年出版之圖書，全球約計五十萬種；有些圖書館收藏了其中的百分之十至百分之十五，也就是收藏該年出版的五萬種至七萬五千種圖書；也有些圖書館的收藏低於該年出版的百分之零點五，也就是少於二千五百種(註七)。由此證明，在書林書海中，圖書館所收藏的只是其中的一部份，如何擇取適合的書籍，便有賴於圖書的選擇。一八七六年，美國圖書館協會 (American Library Association) 在費城召開成立大會時，杜威 (Melvil Deway) 爲這個圖書館專業組織擬訂了一條口號：最好的圖書，最多的讀者，最少的開支。(The best reading for the largest number at the least cost)，作爲圖書館選擇圖書及服務之準則。

一般而言，圖書選擇首重規劃，規劃性的選書原則，包括經濟性原則、計劃性原則、和政策性原則三種。經濟性的原則是一個最初步的原則，也是一個卽時性的原則，它的異動性很大。計劃性的原則，屬於進一步的原則，也是一個作業性不易變動的原則。政策性的原則完全是一個表現特質的原則，爲長時間的原則。這三種原則之間，有一定的關係存在，經濟性原則是計劃性原則的基礎，計劃性原則是政策性原則的基礎。分別敍述如下:

一、經濟性的選書原則

圖書館的經費總是有限的，如何發揮有限的經濟條件，並達到相當滿意的效果，必須要利用經濟性的原則，來處理選書問題。經濟性的選書原則，又可分爲若干項目:

⑴**最大效用的經濟原則**: 寧願選購一部大家都能夠閱讀的普通書，而不要選一部高品質昂貴的圖書。在公共圖書館中，盡量選擇社區民衆能接受的一般性書籍，而減少選購精專知識的書籍，在專門圖書館中則反之，以精專而少量之書籍，遠較大量書籍更重要。不可以有限財力，選購不常用的書籍，「圖書爲使用而生」的原則，絲毫不能放鬆（註八）。

⑵**邊際效用的經濟原則**: 對於複本的購置，以及同一類圖書的添置，首先要瞭解館藏的虛實，研究一下藏書總量中，各類圖書數量之分配及質量之分配，如重要參考

書、重要文獻是否具備等，再以閱覽部門之借閱及參考統計，計算某一類書之使用量，是否與館藏量成正的比例。某些類圖書其出借量少，是因爲館藏量少的原故，因此，出借量少的書，不一定不選購，出借量大的書亦不一定非要添購，要注意到邊際效用的問題。

(3)**均等效用的經濟原則**：對於購書費用的分配，應維持一個公平而較有彈性的標準，對於本館的讀者需要，要平均的考慮到，對於「汰舊換新」亦需同等重視。購換一册淘汰本的舊書，其效用不比增添一册全新版本之圖書爲低（註九）。均等效用原則之應用，可使圖書館的藏書，眞正的充實而富盛起來，並達到「每位讀者有其書，每册書有其讀者」的佳境。

(4)**剩餘效用的經濟原則**：複本書籍的交換，在圖書館作業上而言，是一種剩餘價値的運用，所產生的效用，有時也是很大的，不可不予以注意。某館認爲應汰去的複本，對於另一館，或許有大的用處。關於複本書籍的交換問題可參見本書第五章。

二、計劃性的選書原則

圖書館需要按照一定的計劃選擇圖書，並在廣博的基礎上發展藏書量，以使圖書館具有整體性的服務力量，這是接續經濟性選書而來的第二步原則，計劃性的原則又可

分爲若干項:

⑴**橫面發展的計劃**: 圖書館服務的讀者是一羣人，並且是一羣懷有不同知識需要的人，圖書館爲了滿足讀者的需要，必須有系統的選購圖書，以應付各種讀者的不同需要。系統性的選書，乃根據對於讀者羣的瞭解，而後訂定的。圖書館選購圖書時，應保持適當的比例，凡有益增長知識，培養情操，調節休閒的圖書都要顧及，不可偏頗。以「全面的知識，服務全面的讀者」。

⑵**縱面發展的計劃**: 對於現有的讀者給予服務，對於可能的讀者，圖書館亦應準備給予服務。圖書館在選書上，除了考慮大衆的即時需要外，也應注意選擇具有永久價值的書籍，本國的經典著作，各科的代表著作，世界性的文學名著等，更是一個圖書館，長期吸引讀者的資本。新的出版品，固然要重視，舊有的圖籍也必須留意和注重(註十)，以「巨大的知識蘊藏量，服務川流不息的讀者」。

⑶**代謝發展的計劃**: 對於有時間性的書籍，如年鑑、統計、科技圖書、時事性圖書等，在已失時效或有新版出現時，要適時抽換，選購新的版本補充，否則圖書館的收藏，雖無限制的擴張，却少實際的意義與用處。在圖書的外形方面，也需要經常汰舊更新，凡有殘缺的圖書，破損不堪閱讀的圖書，以新的本子替代。使圖書館內的書册，

無論內容或外觀，都予人生氣勃勃的感受，並維持圖書館在知識活動中的有機性。

⑷**交流發展的計劃**：現代的圖書館在經營上，除了要求自己的獨立之外，同時，趨向於分工合作的途徑，為了加强對讀者的服務，對於若干冷門或精深的圖書，採取館與館之間，分工選購圖書，合作交流使用之途。加入合作計劃的圖書館，為了交流上的發展需要，有些圖書雖然不是本館所急需或必備的，但是，為全體合作計劃著想，仍應選購。1942年到1977年的美國法明頓計劃，便是一例。

三、政策性的選書原則

任何圖書館在選書時，都要考慮到其所處社會的特性，按照社會特性之情況，進行政策性的選書，以發揮圖書館的最高功能。政策性的選書又可分為若干項：

⑴**反應環境的特性**：在工業區內的圖書館，和農業區內的圖書館，所選的書，應有不同。一個社會深受它所處的環境的影響，圖書館應配合社會環境的特性，加以發揮之。事實上，一個圖書館選購的圖書，要配合該館設置之目的，此為一項最重要的政策性原則。因此，公共圖書館的選書要反映公共圖書館的環境特性，大學圖書館的選書要反映大學圖書館的特色（註十一）。同樣是公共圖書館，在不同的地區，也應該有不同的特色。

⑵**反映國情的特性**：對於宗教、政治、種族等類問題的圖書，在選擇時不排斥任何一種書，可是爲了國情的需要，應加强某一類的書。譬如，選擇强調民族平等之書，要比誇耀民族自信性的書籍更好。

⑶**反映民情的特性**：對於藝術、休閒，甚至小說文藝類的圖書，不僅是要配合讀者的需要，更需要反映出民情的特性。新出品的小說，藝術作品也許能引誘讀者的好奇心，但未必是讀者所需要的。然而，在我國圖書館中，添購若干武俠小說，亦無不可。

一個圖書館所處的社會愈單純，政策性的選書愈不顯著。對於某些圖書館，我們只感到有經濟性和計劃性的選書，而不容易感覺到有政策性的選書，便是這個道理。政策性的選書，使一個圖書館，不但能適合一個社會的需要，也能代表一個社會的文化。

註記：

註一：參見羅家倫先生著「讀標準的書籍，寫負責的文字」一文，收於「讀書的情趣」一書中，志文出版社，新潮文庫11號，臺北，五十九年再版。

註二：參見邢雲林著「圖書館圖書購求法」第五十二頁。

註三：見 Rinaldo Lunati 原著 Luciana Marulli 英譯之 Book Selection: Priciples and Procedures p.15-31. 麥高文 Lionel Roy McColvin 在1925年首發表了 The Theory of Book Selection for Public Libraries。

註四：此項評分法，英文名稱為 "Representation Number"。

註五：同註三，見其第二十一頁。

註六：推瑞 Francis K.W. Drury 曾於1930年發表 Book Selection 一書，該書由美國圖書館協會 ALA 出版。布斯威克 Arthur Elmore Bostwick 在其所著 The American Public Library 一書，有專章提及圖書館選擇的問題。此二人對於圖書館的選書觀念，頗承襲麥高文的觀點。

註七：見 Allen Kent 主編的 Resource Sharing in Libraries 一書，導論部份之敘述。

註八：見 Rinaldo Lnnati 著 Luciana Maruli 英譯之 Book Selection: Priciples and Procedures p.42-43。

註九：同註八，見 p. 50。

註十：同註九。

註十一：參見 Robert N. Broadus 著 Selecting Materials for Libraries 一書，p. 11-15。

第三節　選擇圖書的作業程序

有些圖書館將選擇圖書的任務，託付給圖書館委員會或圖書選購委員會處理，也有些圖書館把選擇圖書的主要責任，放在圖書館內部的工作人員身上；由圖書館館長或圖書館館員，組成的選書小組；或專設一個選書股來負責這項任務（註一）。

大體而言，各級學校圖書館，學術圖書館，以及專門圖書館的大部份選書工作，通常交由圖書館委員會或圖書選購委員會來處理。一方面由於委員會的主要成員，都是讀者的代表，或是最瞭解讀者的代表。例如，學校的教師，學術機構中的研究員，公司企業的工程師等。另方面，委員會的成員，都具有知識上的專長，可減輕圖書館員的選書壓力，集思廣益的選書，更能符合一個圖書館的需要。學校圖書館，學術圖書館，及專門圖書館的圖書館館員，在選書工作中，並不負主要的選判責任，只是輔助委員會選判那一種書刊需要採訪和值得採訪。

公共圖書館中，情況便有所不同。雖然，公共圖書館的負責人也希望集合讀者的代表，共同決定選擇圖書的問題，但是，誰能代表眞正的讀者呢？這本身是一個困擾的問題。

於是，公共圖書館的委員會，往往容易流於形式，或流於少數人的主觀意見。因此，圖書館工作人員的責任，相對的加强，圖書選擇的工作大部份由館內的主管單位，或選書小組來完成。

選擇圖書的依據可粗略地分爲三方面而言（註二）。第一是背景的研究，第二是內容的研究，第三是外形的研究。分述如下：

一、圖書背景的研究

每一種書刊的誕生，一定存在著背景條件。書的背景以著者最爲重要，其次爲出版環境。

著者分爲撰者，譯者，編者等不同性質，甚至古典作品的校注者也可算是著者。著者的學識、經歷、工作經驗、已往的作品，以及著者的生活環境，都對他的作品產生一定的影響。著者寫書的用意、目的，更是重要的背景資料。

出版環境所指的是出版者和出版經過。負責任的出版者，往往不會隨便刋印圖書，尤其近日以來，講究專業出版。對於出版環境的瞭解，大有助於書籍的選擇，此外，出版日期、版次、册數、價格等，也屬於出版環境的範圍，對於選書工作，每有相當的影響。

二、圖書內容的研究

書籍的討論範圍、主題取材、敍述方式、編輯體例、文詞文法的運用等等，都是選擇圖書的重要依據。例如，討論的範圍屬於專精的或是一般性的；主題取材屬於廣泛性的或是局部性的；敍述方式屬於論述式的，解說式的，描述式的，還是利用抽象法或具體法等；編輯體例的章節、格式、段落等要如何安排；表達方面屬於白話、口語或文言，外來語及標點的運用等。這一連串都涉及到圖書的內容。

對於圖書內容的研究，可從兩方面著手，一是研讀圖書，一是參考書評介紹等資料。

三、圖書外形的研究

書籍的結構、印刷、紙質、裝訂等和質體有關，也是選擇時的依據。例如，有沒有索引、書目、附錄、圖表等，便和圖書的結構有關。紙張的磅數、顏色、質地和印刷的字體、標題、版式等，都和閱讀有關，裝訂則和圖書使用及保存有關係。

圖書館的選書，尤其要特別注意外形的研究，在外形上必須要求完備、大方、耐用。因節省開支而選擇經不起常常翻動的本子，不但弄巧成拙，在費用上更產生適得其反的結果。

選擇圖書的程序包括五個步驟，第一步瀏覽圖書，提出書目，第二步塡寫介購卡，第三步查核分析介購卡，第四步，審查決定書單或書卡，第五步交付執行採訪。分述如下：

一、瀏覽圖書，提出書目

選擇圖書的人，往往先瀏覽過要訂購的圖書，認爲滿意就提出推薦，比較妥當。瀏覽圖書 的地點，通常在書店、書展或其他處，惟近年有所謂的總括訂購，則由書局把若干圖書，先送到圖書館檢閱。

但是，並非每一種圖書都有機會先行瀏覽過目的，選擇圖書最常見的方式，在運用有價值的工具書。例如，閱讀標準目錄，專門目錄，收藏目錄等，而提出推薦書目。或者是閱讀書評、出版消息、圖書介紹，而提出推薦書目。凡是未瀏覽圖書而推出推薦的，都屬於間接選擇。

間接選擇所提出的書目，宜用鉛筆或色筆加以記號以表示出，對於書目中每一項圖書所持的態度。記號必須劃一，查點才迅速有效。例如，可考慮下列幾種記號，代表一定的意義：（註三）

（＋）代表圖書館應該具備的書册。

（卄）代表圖書館急需具備的書册。

（○）代表圖書館可以考慮，在經費許可下值得具備的書册。

（○○）代表圖書館可多置複本的書册。

在一系列的書單中，配上卄，＋，○，○○的記號，可以明白顯示出選書者輕重緩急的態度，方便採訪工作的安排。

二、塡寫介購卡

不論是直接瀏覽圖書選書，或者是從書目、書評、廣告來選書，都需要塡寫介購單。塡寫介購卡的主要目的，在於方便整理；可避免多人推薦時的重複，可供工作人員分頭查核，查證有關的書目資料，建檔容易，調檔容易。介購卡的一般格式如下：

大專院校圖書館圖書介購單

<table>
<tr><td colspan="2">書　名:</td></tr>
<tr><td>作　者:</td><td>出版處:</td></tr>
<tr><td colspan="2">出版年:　　版次:　　裝訂:　　册數:　　復本數:</td></tr>
<tr><td>價　格:</td><td>資料來源:</td></tr>
<tr><td colspan="2">本書用途: 課程需要 ☐ 一般閱讀: ☐ 參考書: ☐</td></tr>
<tr><td colspan="2">介購者:　　通訊處:　　電話:</td></tr>
<tr><td>單位主管:</td><td>日期:</td></tr>
<tr><td>1.請儘量塡寫雙線以上各項。
2.塡妥後送交各所系選書委員
或圖書館採錄組。
3.本單處理情形俟後通知。</td><td>備註:</td></tr>
</table>

三、查核分析介購卡

書寫完畢並經過介購者署名的介購卡，必須按照著者、書名或學科，擇一而排列。介購卡通常只塡寫一份，只能就工作人員認爲最方便的一種方式序列，並且就圖書館的目錄加以查對一遍，發現已收爲館藏的圖書，宜劃一個V表示本館已有，並抽出單獨另置一旁以待處理。

查對完畢圖書館的目錄卡片後，再核對圖書館的採訪檔，包括已訂購到館和訂購中兩種檔序。凡發現已列入採訪檔的，也要作一記號，抽出另理，以避免不必要的重複。新出版的圖書，往往一個月前有人介購，數星期後又有人介購。

既非館藏之圖書，採訪檔中又無紀錄的介購卡，需優先加以考慮。介購卡中的每一個必要項目，要仔細地加以核對。如果有遺漏的項目，要依據標準書目、營業書目、出版消息、書訊等資料，加以補正待用。凡是書寫不清、內容不全、而無法辨別的介購卡，別出另外處理。

四、審查及決定書單

經整理後的介購卡，應在一定的時間內，每週、每月、每隔月，提交圖書館委員會或圖書選購小組，或擔任圖書選擇的決策單位，會議議定。

圖書介購卡的審查會議，對介購卡的取捨，要作明確的規定，可利用記號法，代表各種不同的含意，例如：(註四)

(＝) 表示優先購買，立即購買。

(ｷ) 表示價格合理時即買，亦即打大折扣買，否則不買。

(⊕) 表示儘量用交換或索贈的方式去爭取。

（?）表示介購卡中的圖書，有問題待解決，無法作取捨。

（×）表示圖書館不收此書，亦即不在收藏範圍之內，或認爲本館不合宜收入此書。

五、交付執行採訪

圖書介購卡，經審查及決定後，不擬採訪的介購卡及有疑問的介購卡均另行處理。會議通過的介購卡，卽交由訂購、交換、索贈等方式，進行採訪工作。

至於，選擇中外圖書的重要工具書，可參見中文參考書指南及西文參考書指南各書中所列的書目部份。根據參考書指南中書目部份的引指，便可找到各種性質的選書工具書。

註記：

註一：參見邢雲林著「圖書館圖書購求法」一書第五十四頁至第五十五頁。

註二：參見 Robert N. Broadus 著 Selecting Materials for Libraries 一書中關於 How to Judge a book 一節 p. 48-58。

註三：邢雲林先生在「圖書館圖書購求法」一書中第五十九頁指出，書單上應標記號，他認為民國二十年代時普通用者約為：

（一）一橫畫於某項之上或以前，謂此書應審察，如審察可以備置，此號頗易改為「十」號。標記用色筆為佳，避免污損書籍則用鉛筆亦可。

(十) 此號謂可以購買。

(卄) 兩個加號，可備複本，號下再註以某字，則指此複本可入某支館或某種特藏。

(√) 一挑謂圖書館已有一本，此號乃確知館中有此書方可添加，否則勿輕易亂挑。

(○) 一圈表示館中尚少此書，此號可於點查本館目錄後，確知缺少，再為添加。

筆者認為邢先生的意見甚好，僅據以重新提出個人的標記意見。

註四：參見「圖書館圖書購求法」，第六十二頁所舉的例說。

第四章　圖書訂購作業

第一節　訂購圖書的方法

訂購圖書是圖書館徵集資料作業中最普通的手段。訂購圖書的型式約分爲普通訂購、統括訂購、全數訂購、長期訂購等幾種；訂購圖書的途徑包括直接向出版者訂購、間接向代理商訂購；訂購圖書的性質包括向本地或本國採購，以及向國外採購等兩種。

一、訂購圖書的型式

訂購圖書的型式深深地受到經費分配及經費使用的影響，也和出版的形態有關。因此，集中使用經費或分批使用經費，就會影響到圖書館訂購的型式，同時公開發行、非公開發行、一次發行和多次發行等因素，也會影響到圖書館訂購 的型式 。每個圖書館 在應用普通訂購 、統括訂購、全數訂購及長期訂購等各種不同的方法進行訂購作業時，也具有機變性，隨時可併用或機動應用這些不同的訂購型式。

1.普通訂購

普通所採用的圖書訂購方式，都是一種流水帳似的訂購，或者利用訂購卡一册一册的隨時推介隨時訂購，或者利用訂購單一小股一小股，每有幾册或十幾來册即發出訂單採購。簡單的說，普通訂購就是根據請購者的需要，在一定的時間內隨到隨辦，隨辦隨結地處理圖書館內的書籍採購作業。這種方式也是圖書館中最常見的訂購辦法，在英文裡稱作 Purchasing books title by title。目前，普通訂購大都利用訂購卡，一書一卡地進行作業，利用訂購單一小股一小股處理者，已開始少見，因爲利用「一書一卡」的訂購卡作業，可達到一卡到底的一貫性作業功能，每册受訂購的圖書館在繕打訂購卡時，往往是一式四聯或一式五聯，於是不但繕妥了訂購卡，也準備好了採訪紀錄、請購者通知單、書商連繫的備用函與報銷通知單等手續。訂購卡的格式如下：

外文圖書訂購卡

ACQUISITION DEPARTMENT
NATIONAL TSING HUA UNIVERSITY LIBRARY
855 KUANG FU ROAD, HSIN CHU 300
TAIWAN, REPUBLIC OF CHINA

DRDER NO.: ①②③④

DATE:

NOTE:— PLEASE INCLUDE ORDER NUMBER ON PARCELS AND INVOICES. ADVISE BEFORE SENDING IF ITEM IS PART OF A SERIES, UNLESS SO NOETD ON ORELER

.... COPY/IES OF　　ISBN:

SOURCE:
SUPPLIER:　　PRICE:

中文圖書訂購卡

書　名:

著　者:

版　次:　出版年:　冊數:

出版處:

價　格:　ISBN:

訂購日期:　收到日期:

審核意見:

備　註:

2.統括訂購

統括訂購又稱為集中採購計劃，由圖書館向指定的出版者或圖書代理商大批的採購圖書，在英文裡稱作 Mass purchasing 或 Block buying (註一)，這種方式的採購和普通訂購有很大的不同之處，不論在採訪的精神上，或是在實質的作業上，都可以感受到這種差異點，其中最具代表性的特徵，包括下列數點:

(1)不先經過圖書選擇的程序——圖書館訂購圖書時，通常總在訂單發出之前，先行逐項的查核與挑選所要訂購的書刊。統括訂購則不是如此的辦理，而是由出版者先行將書送到圖書館，然後再由館員評選挑用，合則留之，不合則退，一九五八年時，美國費城的 Greenaway Plan 便是最早和最知名的例子，在該項計劃下，出版者在正式出版圖書之前，先將所有的營業性出版品送交費城的公立圖書館 Free Library，同時併送有關的書評介紹，供圖書館員評選圖書，以添置複本之參考，這種「見書送書」的採訪方式，好處是能够做到以最快的速度，較廉的費用，把書籍供應給大衆閱讀利用；缺點是見不到的書，便沒有被入選的機會。整個講起，這種方式對於公共圖書館的吸引力比較大。

⑵書籍行銷者參與圖書館採訪的計劃——許多出版商爲了爭取統括訂購的訂單，往往主動的向圖書館的採訪部門提供了數以十百計的各科書目，而由圖書館採訪人員選用，這種「就目選書」的採訪方式和傳統的方式亦不相同。表面上圖書館員好像免去了出版品爆炸的危險，事實上難免不是因爲受了出版商阻礙視線的結果。這種方式固然可在短時間內採購得大量之書，却也需要注意免除複本的浪費，以及避免因卽時判斷而產生的錯選。

⑶集中採購和大批核定的計劃——當圖書館的典藏量急速的增加，年增長率高達百分之三十以上時，現有的圖書館員，勢必無法一册書一册書細挑精揀的採訪圖書，只有利用大批核定的手段，大量的採訪圖書，也就是英文所說的 Approval or Gathering Plan。對於新建的圖書

館，或是擴建的圖書館而言，像新成立的大學院校系圖書館，爲求達到基本藏書量或爲求達到一定程度的藏書量，便只有借重於這種方式去採訪圖書。

值得注意的一點，統括訂購的圖書採訪決策權仍然操在圖書館工作者手裡，只是出版者或書商對圖書館的影響力較普通訂購爲大，並非圖書館員放棄採訪之本質。

3.全數訂購

圖書館依據自身的需要，或是依據所處服務環境的因素，向特定的出版機構，進行全數訂購的採訪。

學術單位或機關學校所附設的出版單位，往往都成爲某些圖書館全數訂購的採訪對象，特別專門的出版社如國語日報社，專門出版注音符號的圖書，對於以注音符號習國語或教國語的單位，也有可能成爲全數訂購的對象。全數訂購在英文裡叫 Over all order，美國的大學出版協會，其會員間常以全數訂購的方式，互相的採訪出版品。（註二）

由於非營利機構的出版品少有廣告，出版消息不容易流傳開來，對於有心想獲取一份的圖書館而言，在採訪上便產生困難。全數訂購以一紙訂單，用「包要包買」的方式向出版者蒐集出版品，正可以彌補採訪工作在這方面的不足。也可以說全數訂購，掃除了圖書館採訪上的一部份死角。

4.長期訂購

有些出版品不是在同一個時間內一次出齊，而是在陸陸續續的情況下分別出刊，許多叢書大都是要好幾年才能出齊，叢刊更是「無止境」的不斷出刊。採訪上對於這類出版品的訂購，不可能等到一整套書出齊後再訂購，因爲這樣會拖很長的一段時間，對於讀者便不好交待。於是，對於叢刊、叢書或連續出刊的大部頭成套書，圖書館往往採用長期訂購的方式採訪之，長期訂購也就是連續訂購的意思，英文名稱叫做 Standing Order。

長期訂購通常採用預存付款的方式進行，訂購者先將若干册的書款，預繳給對方，出版者再按次寄送出版的刊物，一般而言，因屬預約性質，價錢比較便宜些。

上述四種不同的訂購型式，各有各的優點，普通訂購最能達到請購與選書的目的；統括訂購最能對付鉅幅的增書量；全數訂購對於專業性的非營利出版品最具蒐集之效；長期訂購可確保叢刊叢書的完整採訪。任何一個圖書館在實施採訪作業時，都會遇到各種不同的情況，而需要考慮酌量的運用，這四種不同的訂購型式，有時甚至是同時併用的，但圖書館中用的最多、最普遍的訂購型式還是傳統的普通訂購。

二、訂購圖書的途徑

圖書館裡訂購圖書的途徑普通分爲三種，一爲向出版者訂購，二爲向書店訂購，三爲向圖書代理商訂購(註三)。訂購圖書之所以會產生不同的途徑，完全由於受到購書範圍、學科範圍及語文範圍的影響，以及出版品營銷制度、工作人員與經費分配、訂購方式的影響。

1.向出版者訂購

向出版者訂購這一途徑，又稱爲直接訂購。除了普通訂購可向出版者直接訂購外，全數訂購和長期訂購這兩種方法都是向出版者直接訂購的。出版者根據其性質而言，可以分爲下列幾種:

(1)個人出版者——有些作者自己斥資印書，於是又兼發行者，但也有極少數的情形是個人斥資替別人印書的。個人出版者在臺灣地區很普遍，有些個人出版者的書册，很難蒐集得到，惟有直接函購。

(2)出版社——出版社以出版書刊爲營業，一般屬商業性質的居多，小的出版社只出版十種二十種書刊，大的出版社有出版數萬種書刊的。目前的出版社盛行於重點出版計劃，也就是爲了造成出版風格，許多出版社都以一定的水準，出版某些學科範圍內的書刊。出版專業化的風氣正逐漸受到重視，對於圖書館訂購者而言，這是一項有益的好現象，適合用統括訂購的方式採訪。

⑶機構與團體出版者——許多書刊在書店裡是找不到的，這些找不到的書籍，大部份是由機構或團體附設的出版單位所出版的。學術機構、民間團體的出版品，對於研究工作往往有極高的參考價值，蒐集這類出版品以直接訂購比較理想。

⑷政府機構出版者——任何一個開放的政府，都會出版許多刊物，以告示大衆，一個政府做些什麼事情，解決些什麼問題。尤其統計類資料、報告、計劃書、會議記錄等都是重要的知識資源，圖書館不論是用洽購的或是用索贈的方法，都只有直接與該政府機構出版者連繫，才能蒐得有關的資料。

向出版者訂購書籍的好處，便是直接辦理各種手續，能够爭取到時效，不過也有一些出版者，其本身不負責發行的業務，而是交由一個總經銷代理發行的業務，對於這種出版者必須留下一個紀錄，以供參考。一般而言，向出版者採訪圖書，除了要花一些通訊的人力外，非常的符合經濟性和效益性的原則，向出版者訂購書刊，必須要留意出版者書目。

2.向書店訂購

書店是以出售圖書刊物爲營生的行業，一家書店總是滙集着十幾家至數百家出版社的書刊。憑藉着滙集一處的便利，供一般讀者購買圖書和圖書館採訪圖書。許多書店爲了出售圖書而編有營業書目，這使得圖書館採訪人員多了一份參考資料，書店的經營者，對於書籍市場的情況，都有相當的瞭解，某些特殊性質的書刊，透過書店代辦反而容易徵集到館。通常在下列幾種情況時，圖書館常常透過書店這個途徑採訪各種書刊。

⑴短時間內採訪大量書刊——爲在一定的時限內，進行集中式的採訪工作，此時，往往向書店訂購圖書，藉以將各項手續簡捷化。譬如採購一批二千册圖書，或許涉及到二百家出版社，若採用直接訂購，要分別向二百家出版社購求，爲求時效及人力分配起見，委託書店辦理，可解決一大半的採訪問題。

⑵竭盡所能地購求並蒐集某類書刊——圖書館爲了讀者研究的需要，或是爲了採訪政策上的需要，對於某類專門性的資料，務求其儘量的蒐集完備，在這種情況下，可委託書店訂購圖書，尤其目前各書店的經營也講究專科化，找到適當的書店，購求這類圖書時，反倒效率高。譬如向專營兒童書籍的書店，洽購兒童書刊，在效率上是很好的。

⑶地處某地向四處購書——對於不是在都市裡的圖書館而言，和當地的書店打交道購書，是一種方便的途徑，圖書館可以透過書店更進一步的瞭解到書籍市場的情況，

進而有助於採訪工作的進行，所以，不是位於都市的圖書館，往往向書店洽購圖書。向書店洽購圖書時必須避免對書店的依賴，不然很容易產生偏失而無法達到採訪政策的目標。

3.向圖書代理商訂購

圖書代理商是一種大規模經營書籍的行業，事實上是圖書貿易商或圖書批發商的性質。書籍當然不同於一般的商品，但是，以物質而言，書籍仍是一種公共財貨，爲了「書暢其流」而有圖書貿易商的誕生，圖書代理商從某個角度而言，是書籍的分發者，藉着分發行爲，加速了書籍的暢流，對於圖書館的採訪也帶來了若干的方便，尤其對於本國以外書刊的採訪，圖書代理商或稱爲圖書貿易商所扮的角色是不容忽視的，若將圖書採訪中所牽涉到的商業行爲，委諸於圖書代理商去辦理，不僅是「可行」而已。

圖書館在運用委託代理商辦理採購圖書，所要注意的問題，是如何來選擇代理商。一般而言，選擇代理商的原則包括下列幾點因素：

(1)配書率的問題——選擇代理商的第一個因素是配書率愈高的代理商愈好，所謂配書率指的是訂購種數和採訪回來的種數的比率，若不能達到百分之百，最少也要達到百分之九十五以上才算理想。和配書率有關的一個問題，即是到書的時間問題，國內的書以一個月內收到爲理想，國外的書則要在半年內收到爲宜，配書率就圖書代理商而言，就是服務效益及服務目標。

⑵信譽的問題——圖書代理商的信譽非常的重要，爲求愼重起見，對於圖書代理商的信譽研究是很有意義的。信譽的問題必須用調查的方法解決之，調查代理商以往的記錄，是否忠實可靠。

⑶價格與付款——圖書代理商的收費價格和付款方法，也不得不注意。

訂購圖書的方法和途徑，看似深奧其實平易，最主要的在於能隨機的配合幾種方法，同時的運用。

註記：

註一：參見 Stephen Ford 著 The Acquisition of Library Materials 一書第八十一至八十二頁。

註二：同註一見第八十三頁。

註三：參見張鼎鍾著「圖書館的技術服務」——資料的徵集一文第四節，收錄於「圖書館學」第二五九頁至二六二頁。

第二節 訂購圖書的程序

訂購圖書的程序共分爲三個大段落。第一段屬於準備性質的作業，包括選擇、整理、核查、補正、繕塡等工作。第二段是正式的訂購作業，包括訂購單卡的寄發、連繫通信、進口驗收等工作。第三段則是屬於清理方面的作業，包括支付書款、結帳、經費決算、建立記錄檔案、登錄移書等工作。這三段程序在一系列的狀況下作業，構成了整個圖書館採訪工作的步驟，也促進了採訪工作的實質功能。（註一）

一、訂購圖書的準備作業

訂購圖書的準備作業受到各個圖書館普遍的重視。爲求圖書館的採訪工作在一個「好的開始」的情況下開始作業，並且避免不必要的重訂，以及避免因書目資料不正確而產生誤訂，或者因其他原因躭誤了訂購的時效。訂購圖書的準備作業，在安排上一直受到各圖書館採訪工作人員的重視，其中重要的項目約有六點：

1.準備各種書目資料：

爲在訂購作業中確實做到「知所訂，有所訂」的最低要求，須要準備蒐集各種出版書目、營業書目、出版品樣張、以及標準書目等手頭參考資料。讓選擇圖書的人員有所依據地圈選，並在請購時能夠提出正確的書目資料，如此相對地減少查核時的補正時間。

2.準備本館須購書單：

圖書館採訪部門的工作人員要替本單位準備妥當「須

購書單」，主動地提供給負責書籍選定的決策人員參酌選用，尤其是在專門圖書館或學術圖書館中負責選書的讀者代表，往往只有評鑑的能力而缺乏掌握書目訊息的情報。準備本館須購書單，可以減短圖書選購委員會的審議時間，而更易達到績效。

3.整理圖書介購單：

零零星星、陸陸續續來自各個讀者或各個讀者代表的圖書介購單，必須在每隔一段時間內整理一次，待有相當數量後，按介購單中的一個固定地項目排整起來，或以書名項排列；或以作者項排列；或以出版者排列。整理的方式完全以配合查核工作的方便而定，第一次查核若以作者項查對，則介購單之整理也以作者排列爲妥，其餘類推。

4.查核書目資料：

整理好的圖書館介購單，按照書名或作者分別的核對①圖書館的館藏目錄。②訂購中的各項記錄。③出版書目資料。

從館藏目錄的查核中，可以求證出所請購的圖書是否已經收藏於館內。從訂購中的各項記錄裡可以查出，所請購的圖書是否在近期內已經去購買，有些已到館；有些還未及到，而這些已經去訂購的圖書，在館藏目錄中是找不到的。從出版書目的查核中，可以確定介購單中所塡的書目資料是否完整，書名是否全寫；作者是否有誤；出版者、時、地及版次是否完全正確等，經過出版書目的查核，每份介購單等於作了一次過濾。

5.補正書目資料:

在查核書目資料時，發現書目資料如著作、書名、出版項目等不清楚或不完全時，就必須加以補正，補正的依據以標準書目、出版書目爲準。若採訪人員無法完全確定時，需要和原始請購人洽詢。經過補正的介購單才能確保「收書率」。殘缺不齊的書目資料，嚴重的影響收書率，並且造成採訪工作上的困擾。

6.核簽訂購單卡:

介購者所提出的書單，經由採訪工作人員初步整理、查核、補正之後，應交由圖書館委員會或是圖書館的負責人批准，而後才能正式生效地去訂購，這是分層決策，分層負責的一種程序。

二、訂購圖書的購買作業

購買作業是圖書館採訪工作中訂購業務部份最中堅的事務。有些人甚至就把圖書館的採訪工作叫做買書工作，而一般人士對於圖書館的「買書工作」所能瞭解到的，只是基於個人買書經驗的擴大，或是基於個人買書經驗的聯想。事實上，圖書館購買圖書的作業，遠比個人買書複雜得多，除了數量上的不同之外，圖書館的買書還有工作程序的問題、技術的問題、核計報銷等問題。簡而言之，訂購圖書的購買作業，約包括四個工作項目。

1.繕理並寄發訂單

經圖書館委員會或圖書選購小組所核簽通過的圖書介購單，必須繕謄在正式的訂購卡或訂購單之上，目前較常被使用的是訂購卡，訂購卡格式請參考本章第一節。繕謄的訂購卡按照出版社相同的排列在一起，經過經辦人簽核後，寄送給出版社或圖書代理商作爲正式的訂購手續。

2.申請進口辦理書款

如果是向本國以外的地區購買圖書，必須向主管出版事項的機關，辦理出版品輸入許可證明，並向主管外幣的錢幣司辦理結滙手續，再至銀行換領外幣。向本國購買圖書時，只須向本單位的會計單位申請書款卽可。

3.與出版社保持連絡

訂購卡或訂購單發出去後，每隔二週至四週卽需和出版社取得連絡，隨時掌握購書的進度，一方面可免除郵遞上的意外，另方面讓出版社瞭解圖書館對於購買此批書籍的重視，出版社因此不致產生鬆懈或玩忽的態度。再就圖書館本身而言，訂購通知正式發出後，定時和出版社保持連繫可增加收書的速度，對於因缺貨、絕版等因素所引起的訂購問題，也可立卽加以處理，因此和出版社保持連繫，就能够加强訂購的工作效率。圖書館如係向圖書代理商訂購時，也同樣的要和代理商隨時保持通信，瞭解訂購的進展狀況。

4.提書、驗書及收書

圖書館訂購圖書除小股的三、五册書之外，大批的書籍通常均由出版社或代理商，運至本地的交通站、郵局等地，如係向國外購書則書籍常被運至本國的海關，辦理提書就成爲一項工作，圖書館可採用直接辦理提書的方式處理，也可委託貨運行或報關行代辦提書的事宜。

書籍運到圖書館後，需要驗書，以原始訂購卡單的副本，逐一的核對圖書，務求所訂不誤，若所收到的書籍不符時，抽出一旁另行處理，驗書時尚須注意下列幾項:

⑴有無缺頁、重頁之現象。

⑵裝訂是否完好，裝訂是否與訂購要求相同。

⑶版本、版次是否與訂購要求相符。

⑷價格是否合理。

以上諸項均順利驗合後，卽可加印圖書館的館章完成收書的工作。

三、訂購圖書的清理作業

圖書訂購到館後，次一個步驟就是如何使這些書籍按照一定的秩序離開採訪部門，讓讀者們很快的有機會利用與閱讀，另外採購工作仍須辦理一些結案事務和統計紀錄，這些工作也就是圖書館購買圖書之後的淸理作業，以整個訂購的程序而言，這是第三個階段，也是最後的完工階段，這些作業包括五個工作項目。

1.辦理圖書登錄工作

圖書經過驗收後，就等於正式進入圖書館而成爲圖書館所運用的收藏品。書籍進入圖書館的第一步處理，便是加以登記和簿錄簡稱爲登錄，登錄的項目包括登錄日期、登錄號碼、書目、著譯者、出版年、出版地及出版者、頁數、裝訂、來源、價格、備註等項。圖書館對於圖書的登錄通常採用登錄簿處理，登錄簿通常利用八開大小的紙張面爲準，登錄方式請參見本書附錄之圖書登錄規則。也有些圖書館 利用登錄卡 來登錄圖書，登錄卡的 格式一般如下：（註二）

中文圖書登錄卡格式

徵(購)日期	書　名
催期 1.	
2.　　3.	叢書註
收到期	著　者
來源	出版地及出版者
書價	出版年　卷期　冊數　頁數
部數	版　次　書式　裝訂　形式
登錄號:	

外文圖書登錄卡格式

訂期 Date ordered	著者 Author			
收到期 Date rec'd	書名 Title			
代理商 Agent				
來源 Source				
定價 Price	出版地及出版者 Place & Publishers			
實價 Cost	出版年 Year	卷期 Vol, & No.	冊數 Volumes	頁數 Pages
部數 Copies	版次 Edition	書式 Size	裝訂 Binding	型式 Type
備註 Remarks	介紹者 Recommended by		介紹期 Date	
登錄號 Accession No				

2.辦理書款支付工作

根據出版社的付款單據於書到後支付書款。國內採購時付款手續較爲簡潔，可通知會計部門直接利用郵滙或票滙或其他方式以本國貨幣支付。國外付款則必須在申請書刊進口的同時先行辦理外幣之結滙，等書到後卽刻可付款，付款工作由採訪部門協助圖書館的會計部門辦理。

3.通知讀者、辦理新書展覽

圖書到館後，宜卽時通知圖書請購者有緊急需要時可先到採訪部門瀏覽。如此對於圖書館的服務有很大的幫助，另外應通知閱覽單位，共同辦理新書展覽的工作，新書展覽是圖書館所不可缺少的一項作業，一方面藉着新書展覽可以吸引讀者的閱讀興趣，另方面新書展覽對讀者而言也是圖書館最明顯的一項業績。因此，同屬圖書館的採訪部門和閱覽部門宜配合辦理此項工作，以發揮整體性的服務。新書展覽最好能每週或每隔週換一批書籍，以達到展覽的目的。

4.辦理移送圖書

書籍到館經過登錄手續，加蓋印記、新書展覽之後，必須迅速的由採訪部門移送給編目單位處理。通常每書隨一份供編目參考的草編資料，其中一聯由編目單位簽收後退回採訪單位留存。

5.辦理採訪工作的統計

採訪部門每於採購一大批書刊之後，宜定期統計工作之狀況。統計的項目包括經費運用之統計、圖書增減分類統計等項。經費運用統計除了計算單位成本之外，可分析各種不同的書刊所佔用之比例與書刊數量之比例，以作日後採訪之參考。圖書增減分類統計幾乎是一項直接的業績統計，對於館藏的分析及採訪參考均有很大的用處。

綜合以上三大步驟而言，訂購圖書的程序簡述如下:

準備各種書目資料——→準備本館須購書單——→整理圖書介購單——→查核書目資料——→補正書目資料——→核簽訂購卡——→繕謄寄發訂單——→申請進口辦理書款——→與出版

社或代理商連繫──→提驗書、收書──→圖書登錄──→付款──→通知請購者──→新書展覽──→移書編目──→統計工作。

註記：

註一：參見「國立臺灣師範大學圖書館工作手冊」中採訪、登錄部份。
註二：見國立中央圖書館中文圖書登錄卡及外文圖書登錄卡。

第三節　訂購圖書的記錄

圖書館中的採訪工作是一項持續進行的業務，爲了使前後工作在精確而完整的情況下作業一致，進而促使和圖書館採訪工作有關的業務被連鎖地帶動在一個完整而一致的體系下作業，佔採訪工作大宗的訂購作業之記錄，愈發受到重視。

目前許多圖書館都用多聯式的訂購卡，處理訂購的作業，多聯式訂購卡的每一單聯，至少能代表一種作業功能，工作量愈龐大的圖書館，採訪工作便愈發仔細，分工的效能也比較明顯，因此往往更需要利用多聯式的訂單，分別發揮各種不同的作業功能。訂購圖書的記錄大都由訂購卡的資料而來的。未使用多聯式訂購卡的圖書館甚至將僅有的單張訂購卡影印若干份備用（註一），其中至少一份要按照書名或著者排列，一份要按照出版者排列，另外尙須要和編目單位共同維持一份本館的標準著錄檔。因此，訂購圖書的記錄約分爲六項（註二）。

一、訂購記錄

圖書館對於從介購到收書全部完成作業手續的圖書，均保留一份完整的圖書記錄，這份到館圖書的訂購記錄，在內容上包括了書目、著譯者、版次、出版年、出版處、訂購日期、收書日期、定價、代理商等。

訂購記錄是圖書館採訪單位所保持的一份長久性的記錄，一般習慣上中文圖書的訂購記錄按照書名筆劃排列，外文圖書的訂購記錄按字母順序排列。訂購記錄的用途主要在提供日後採訪圖書之查考。通常訂購記錄由訂購卡的存根聯或副聯排理而成。

二、未決記錄

未決記錄是指圖書館已發出訂購通知給出版社或代理商，但書籍尙未到館的一份記錄，也就是尙在辦理訂購途中的記錄，這份記錄的目的在使工作人員瞭解，那些書刊已經去訂購了而尙未收書，訂購日期和收書日期的距離若超過一般的時間這是否遭遇到困難等問題，而使得負責業務的人員，可根據未決記錄追查訂購的情況，尤其向國外訂書，因時空距離等因素的影響，訂購單發出後數十日至百多日，尚不見圖書到館者也有，像這種情形只有依靠未決記錄，辦理追踪作業。

未決記錄中的項目經採訪工作人員追踪到館後，此未決記錄的項目必須移去，轉歸入訂購記錄以完成結案工作。

三、續訂性記錄

有些書刊並非一次出齊，上中下三册可能相隔一段時期分別出版，尤其是叢書或大部參考書經常屬於陸續地出版，而年鑑、年報、期刊等出版品本身的特性就是連續性的。圖書館對於這些連續出版的資料，必須陸續地補充續訂。

續訂性記錄的目的在於避免漏訂和避免中斷訂購。使得圖書館對於連續性的出版資料，能够蒐集齊全。就建立收藏而言，保持整套的連續性出版品非常地重要。

四、擬購記錄

圖書館在選書階段要準備「本館須購書單」，提供給負責選擇之人士參考，到了採購階段時又要安排「擬購記錄」，擬購記錄和須購書單是息息相通的（註四），須購書單經審查通過而不能即時訂購時，便成爲擬購記錄。不能即時訂購的原因，或爲價格高昂未先列入預算，或爲在時間上非絕對的急需。

擬購記錄等於替訂購作業準備了後補的訂單，若圖書館突然接獲鉅額經費時，因有擬購記錄在案而不至慌了手脚。同時，圖書館亦可藉着擬購記錄爭取購書的費用。

若擬購記錄中的項目，經採用訂購後，亦需轉歸爲續訂性記錄、未決記錄、或訂購記錄。

五、出版商記錄

對於出版商的各種消息宜盡量的聚集，並一律按照出版商的筆劃順序或字順排列。出版商記錄中要分別出本館已訂和本館未訂的記錄，才不致重複訂購。

國外有些出版商印有出版商的卡片目錄，每一卡介紹一種書，圖書館將之排列備用很有參考價值。如果收集的出版商記錄是大開張或書本式的目錄，可加以裁剪黏貼在一般的圖書卡片之上，排列候用。大型的圖書館需要這項記錄，小型圖書館則可以合併在擬購記錄之中。

六、標準著錄記錄

圖書館對於著者和書名的處理，都需要一套標準著錄的記錄，有了這套標準著錄的記錄，全館在著錄上才能達到一致。這項有關全館目錄控制的記錄又分爲著者標準記錄和書名標準記錄（註五）。

著者標準記錄在於統一個人著者和團體著者的著錄，例如個人著者的筆劃計算法和拼音方法、個人稱謂的取捨、一人多名的問題，都須要有個統一化的標準。另外，團體著者的著錄更加需要一致性，例如全銜的使用，簡稱的使用，縮寫的使用也都須要有個相同的著錄，不然前後著錄參錯不齊，對於讀者和工作人員俱爲不便。

書名標準記錄在於統一圖書名稱的著錄，例如一書有兩個書名如何取捨、一書有交替書名即兩名並列時如何安排、書名中的修飾字如何處理、會議紀錄的名稱如何選取，這些問題也都須要有個相同的著錄標準。

標準著錄記錄關係到全館目錄的管理，採訪單位又屬圖書館技術服務的第一關作業，如果從採訪開始替目錄工作打下根基，就更容易做到。標準著錄記錄是由採訪部門協助編目部門建立而成的。

愈是工作量大的圖書館，採訪記錄愈須要詳盡，小型的圖書館則可酌併一兩種記錄在一起，亦可發揮運用記錄達成精確而一致的功效。

註記：

註一：見 Stephen Ford 著 The Acquisition of Library Materials 一書第一六四頁，ALA 出版。

註二：參見王振鵠著「圖書館選擇法」乙書第九十九頁至一百頁。

註三：英文名稱為 Outstanding order file或者稱為 In process file

註四：須購書單英文名稱為 Wants list。擬購記錄為 Considerate file。

註五：著者標準記錄的、書名標準記錄的英文名稱分別為 Author Authority File 和 Title Authority File。

第五章　圖書的贈送及交換

第一節　圖書資料的贈送

贈送也是圖書館獲取圖書資料的一種方式。稍具規模的圖書館，均設有專人辦理圖書贈送的工作，並且往往和圖書資料的交換工作合併在一個獨立的工作組織裡，採訪部門裡專設贈送交換股辦事的圖書館爲數很多，小型的圖書館則派人兼辦圖書贈送的事宜（註一）。

一、直接索贈圖書資料

圖書館中的索贈圖書資料是指由圖書館主動地向書刊的擁有人或出版者要求贈予。要求贈予的方法，或以書信的方式函索，或以電話的方式洽索，或以登門拜訪的方式當面尋求相贈，以求獲贈有用的圖書資料。同時就另一方面而言，有些個人或團體印行了出版品，極欲求得適當的分發，以達到普及和利用的目的，但是這些出版刊物的人士或機關，却找不到適當的分發對象；若干政府機關、民間團體所印行的出版品，或是私人印行的非賣品書刊，尤其如此。圖書館利用索贈的方式求取圖書，一方面固然使得圖書館增加了收藏，另方面也使得許多有用而寶貴的資料有機會獲得流通。

各類型圖書館索贈的範圍並不相同，學術圖書館和專門圖書館所特別注重的索贈，大都是屬於連續性刋物的索贈，諸如報告書、專業刋物、數據資料書刋等。公共圖書館的索贈，大都以政府機構出版品、鄉土及紀念性之出版品等爲主。

許多圖書館都很勤於索贈工作，爲求從直接索贈的作業當中獲取圖書資料，須要廣泛的注意各種出版的消息、贈送的消息，以爭取索贈的主動權和時效性。

二、自動捐贈圖書資料

圖書館中的自動捐贈圖書資料是指由圖書或資料的擁有者，主動地把出版品或收藏品捐贈給圖書館保存及利用。自動捐贈包括兩種性質，一爲社會人士中的藏書家，基於某種原因，把自己的收藏託付給圖書館，藉以公開於社會大衆利用，一爲出版者主動地將出版品提贈給圖書館，以推廣該項出版品的宣傳與流通。

爲鼓勵擁有圖書收藏品或出版品的人士自動地捐贈，圖書館員得花點時間去尋覓和拜訪適當的捐贈對象，就徵集圖書的角度來看，拜訪捐贈對象的重要性甚至超過訪問書店及書商。再就長遠處着眼，圖書館為吸收自動捐贈的圖書資料，必得努力於在讀者的心目中建立起信任感，好教讀者或讀友放心地把圖書或資料自動地捐贈給圖書館，為培養這種信任感，可利用適當的時節辦理捐贈圖書的特別展覽，或是對於珍貴的捐贈收藏，闢以專櫃專室等措施，一則盡到保藏之責，二則增强其他讀者對於自動捐贈圖書的印象，三則間接地達到鼓勵為之的作用。

三、募集捐贈圖書資料

圖書館中的募集捐贈是指圖書館基於某一項因素而發出廣泛的呼籲，普遍地要求各界有關人士，大批地捐贈圖書資料，以達到迅速而大量收集資料的目的。募集捐贈書刋，實際上分為兩種情況，一為直接地募集書刋，一為募集購書代金。

直接的募集書刋也就是所謂的捐書運動，公共圖書館和學校圖書館往往在新創設或是在新擴建圖書館的時間裡，發起這項運動。這種透過捐書運動而募集得來的圖書資料，不見得一定適合閱讀上的需要，因此之故，募集得來的圖書或資料，必須經過適當的過濾；一册册仔細的挑選，合則留不合則去。不然徒然地白費了處理與保存的時間。

募集購書代金交由圖書館統一採購書刋的方式，也是募集捐贈的一種，這種較新式的募集捐贈方式，事實上就是募集購書的經費，由讀者或熱心人士捐出金錢，統交圖書館去購買書刊，或者由捐贈人指定贈送的書目．以供圖書館依據採購。

募集捐贈在性質上是一種「全民」運動。熱心和愛護圖書館的人士，都會在募集捐贈中有所眞正的貢獻。

圖書館不論是在直接索贈、自動捐贈或是募集捐贈中的那一種情況下獲得贈書，都應該要注意四項原則:

1.圖書館必須保留贈書的處理權。

2.圖書館必須配合採訪政策求贈圖書。

3.圖書館必須對贈書者保持良好的禮貌，必須致謝函給贈書者。

4.圖書館對於贈書並非必須一概全收。

辦理贈書的主要作業程序如下:

蒐集贈書消息——→整理核查資料——→訪問藏書者或直接函索——→接受贈書——→贈書數量多者 造清册——→函謝——→登錄——→移書——→排列訂購卡——→謝函建檔

註記:

註一: 參見 Stephen Ford 著 The Acquisition of Library Materials 一書第一五五頁至一五八頁，ALA 1973年出版。

第二節　圖書交換的意義及範圍

圖書館中的書刊交換工作是一種以「物」易「物」的行爲，藉着以物易物達到各勻所需，各勻所求的圖書採訪目的。圖書交換的意義約包括三部份——以工作活動的範圍來看，書刊交換是館際合作的實質項目之一；以工作活動的目標來看，書刊交換工作是圖書館增加收藏資源的一種手段或方法；以工作活動的本質來看，書刊交換工作是一種具體的友誼行爲，其中以第二項意義最受普遍重視。（註一）

書刊交換的物質是各種各類的出版品，交換活動愈頻繁，所獲得的出版品也愈多，對於圖書館資源的增加，有很大的幫助。除了購買之外，交換工作是圖書館增加資源的重要方法。尤其在大專院校圖書館及學術圖書館中更是明顯。

也有些圖書館則認爲交換工作是增加資料的輔助手段。交換工作的精神所在是傳播文化和友誼，各個圖書館及單位，或多或少地受着此項精神的引導，而投入相當的人力和財力，從事交換行爲。另方面也藉此收到一些有用的資料，而增加了一些實質的利益。正因爲如此，世界各國都重視出版品的交換工作，許多國家設有國立的單位來執行這項工作，如英國曾設國家交換圖書館，工作量非常的驚人，一九七三年時，每天要收到8 ½噸的郵件，平均每週要處理二萬二千件的請求單，其中百分之九十令讀者感到滿意。（註二）

圖書館中的書刊交換工作，就書刊的性質而言，並不是任何的書刊 都有必要 或值得運用 交換的方式 輸入圖書館。一般而言，圖書交換是以不易取得或不易購得的資料爲限。具體的說來書刊交換的範圍，以非營業性的出版品爲主。所謂非營業性的出版品，可就出版性質和媒體性質兩方面加以討論。

一、就書刊出版上的性質而言，圖書交換的範圍包括下列幾項:

1.政府出版品—— 主要的 包括各級 政府的行政 報告（卽公報）、統計報告、法案法規、會議紀錄及決議案，以及民意機構的議事錄等。

2.學校出版品——學報、院系刋物、教職員著作、學位論文、學生刋物、其他等。

3.地方文獻出版品——方志、各地文獻彙報、同鄉會誌、其他等。

4.機構出版品——學術及研究單位的計劃書、調查報告書、研究成果書等，部份是非賣品，部份有定價。

5.技術報告出版品——生產事業單位的技術改良書、

方法 實驗報告、品質實驗書」、生產改進書、企劃報告書等。

二、就書刊媒體的性質而言，圖書交換的範圍包括下列幾項：

1.複本書刊——複本書刊是指經過圖書館採訪、登錄、編目及典藏過的書刊，也就是曾經受過圖書館「服務」或「使用」的書刊。這類交換書刊，以期刊爲主，兼及圖書。

2.出版書刊——交換工作中的出版書刊是指未經圖書館印記、處理與使用的書刊。通常以新版書刊爲主，亦兼及非新版書刊。

3.複製書刊——複製書刊逐漸成爲交換工作中的主要材料之一，它又可以細分爲下列各項：

⑴重印的書刊：係指版面大小、裝訂均與原書一致者。

⑵重刊的書刊：係指版面大小、裝訂等有變動者。

⑶縮影版書刊：係指製成縮影底片，或縮印者。

⑷藝術複製品：例如複製之拓片、圖片、地圖等。

簡而言之，圖書的交換是以不易在圖書市場買到的書刊爲主要的範圍。

我國臺灣地區的圖書館中約有百分之七十一的圖書館均有或者願意派出專人從事書刊的交換工作（註三）。這主要原因一方面是想藉交換活動而獲得若干資料，另方面也是想藉着交換活動促進知識傳播和友誼交流的目的。

註記：

註一：見顧敏撰「圖書館的交換業務」一文，載於教育資料學月刊第十三卷第四期第二十九至三十二頁。

註二：英國國家交換圖書館名為 National Lending Library，現在改為 British Library 中的 Lending Division. 參見 RQ Fall 1973.

註三：據1977年國立中央圖書館出版品國際交換處問卷調查所得，詳見註一。

第三節　圖書交換的型式及方法

圖書館之間所推行的書刊交換工作，以活動現象而言，可分爲三種型式，卽雙邊交換的型式、連繫中心的型式、服務中心的型式，若以活動的跨徑來看，又可以分爲國內交換和國際交換兩種（註一）。若以交換的條件而言，國際上公認分爲以件易件，等值交換，以頁數易頁數等三種。（註二）

一、雙邊式的圖書交換

這是一種最初步的交換型式，書刊的傳送者和書刊的接受者，基於互惠和友誼，直接進行交換工作，也有人認爲這個雙邊交換是一種互贈的行爲。因爲書刊交換雖然有等件、等値等條件存在，但是如果不很介意等件或等値的條件時，雙邊交換的意義就是以友誼爲大前提了。雙邊交換的型式又可以稱爲直接交換。圖示如下:

二、連繫中心式的圖書交換

這是將雙邊交換的型式加以擴大而成的，當許多單位在進行雙邊書刋交換工作時，就會發現一些困擾的問題。爲了解決共同的問題，由一個中心單位，整理交換書目，分發給各單位參考，做爲各單位之間刋物交換的訊息橋樑，這種連繫中心的交換型式，又可稱爲多邊交換。聯合國教科文組織成立的出版品交換所 Clearing House for Publication, 所擔任的就是連繫中心的角色。這種型式的特性，如下圖所示:

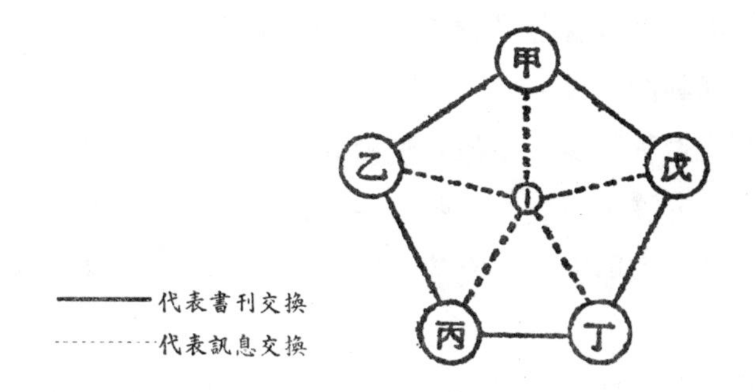

三、服務中心式的圖書交換

這是在一個區域內，由一個單位，集中人力、財力，將各單位的交換書單和交換書刊，統一的處理，並負責交換消息的傳達及交換刋物的送達。二次大戰之後，美國的U. S. B. E. 就是屬於這種型式。圖示如下:

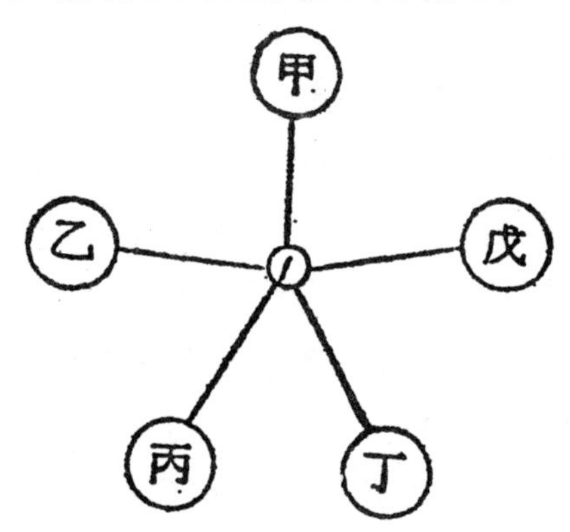

服務中心的交換型式，適用於大規模的書刋分發與轉運作業，因其牽涉到的人力、物力，與財力上的條件，以及吞吐空間、運輸線等各種工作上的技術問題。

四、出版品國際交換

書刋交換的對象，不僅僅限於同一個地區，或同一個國家之內，有許多時候，擴張到一個國家之外的地方去，這就產生了國家與國家之間的交換活動，一般通稱爲國際交換。

一八七五年歐洲各國在巴黎擧行國際地理學會，規定每一出席的國家應設立一中央機構，收集一切有關地理之官方出版品，並寄贈一份給與會各國，待一八八六年的布魯塞爾協定簽訂後，各簽約國家皆成立了交換中心，集中掌理本國與國外的交換業務。於是國際間的正式交換，也就是官方交換，從此逐步的發達起來。

一九五八年聯合國教科文組織第十屆大會通過了「國際公牘交換」使得各國之間的政府出版品有了更進一步的交換約定，也連帶推動了國際間全面性出版品交換工作。

我國受了布魯塞爾協定的影響，於民國十四年，成立了出版品國際交換局。幾經轉屬，於民國二十三年劃歸國立中央圖書館辦理，名稱定爲出版品國際交換處，統籌辦理我國對外的國際交換工作。

由於根據國際協定，國家與國家之間的交換是交由一個機構統一辦理，總負其責的。因此這個單位就成爲這個國家對外書刊交換的連繫中心，和集散中心。它的功能就好比是一座電話總機，擔任內外書刊的通信任務。從另外一方面而言，負責辦理國際性出版品交換的統一機構，就好比是一個出版品的大港口，吞吐着送往各國以及從各國輸入的各種出版品。

出版品國際交換的遞送途徑約分爲兩種（註三），一種爲集中遞送，一種爲直接遞送。一般以集中遞送較爲經濟，也較爲普遍。

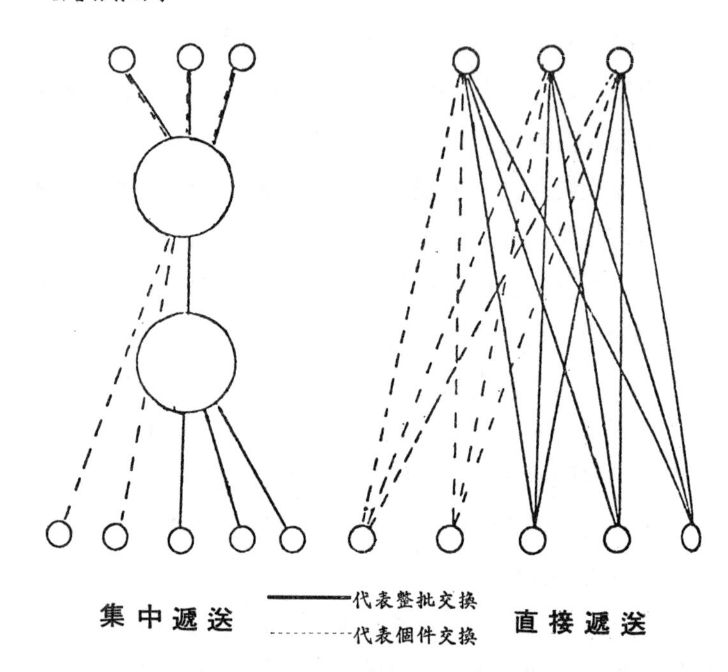

書刊的國際交換和國內交換是相輔相成的；國內的交換活動可以增進對國際交換的興趣，國際的交換活動，可以增加對國內交換的發展。

實際的交換活動，雖然分爲以件易件、以頁計頁、等值交換等三種，但是第一步都必須要準備一份交換書單，列上書刊名稱、著者、發行者等基本書目資料及定價，以供交換時遴選參考之用。

交換工作的進行除了要準備交換書單供對方參考外，可用固定的格式來通訊或處理業務，列舉聯合國教科文組織所提議的圖書交換三聯卡及徵求交換通信函格式如下，以爲參考。

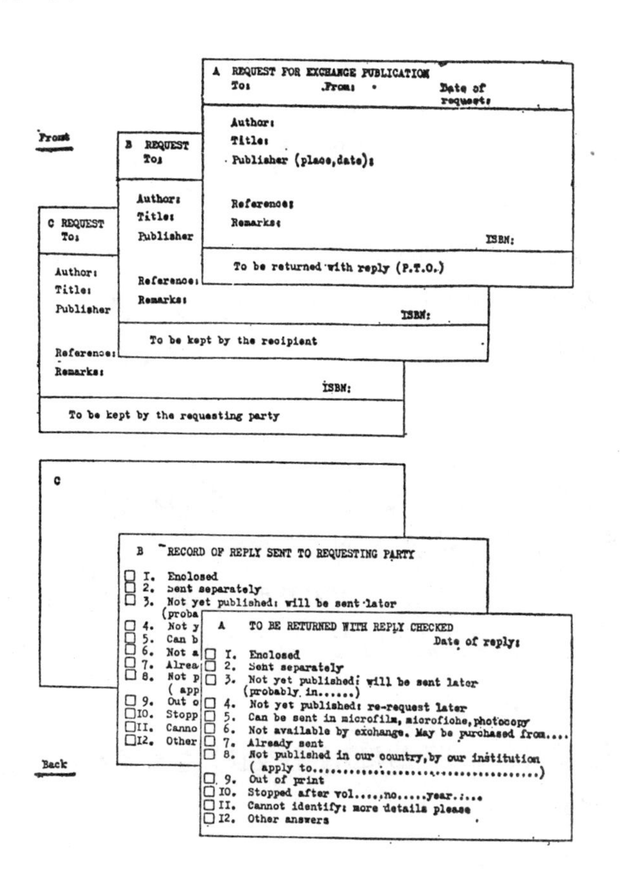

Front

A REQUEST FOR EXCHANGE PUBLICATION
To: From: Date of request:
Author:
Title:
Publisher (place,date):
Reference:
Remarks:
ISBN:
To be returned with reply (P.T.O.)

B REQUEST
To:
Author:
Title:
Publisher
Reference:
Remarks:
ISBN:
To be kept by the recipient

C REQUEST
To:
Author:
Title:
Publisher
Reference:
Remarks:
ISBN:
To be kept by the requesting party

Back

C

B RECORD OF REPLY SENT TO REQUESTING PARTY
☐ I. Enclosed
☐ 2. Sent separately
☐ 3. Not yet published: will be sent later (proba
☐ 4. Not y
☐ 5. Can b
☐ 6. Not a
☐ 7. Alrea
☐ 8. Not p (app
☐ 9. Out o
☐ IO. Stopp
☐ II. Canno
☐ I2. Other

A TO BE RETURNED WITH REPLY CHECKED
Date of reply:
☐ I. Enclosed
☐ 2. Sent separately
☐ 3. Not yet published: will be sent later (probably in......)
☐ 4. Not yet published: re-request later
☐ 5. Can be sent in microfilm, microfiche, photocopy
☐ 6. Not available by exchange. May be purchased from....
☐ 7. Already sent
☐ 8. Not published in our country, by our institution (apply to.......................................)
☐ 9. Out of print
☐ IO. Stopped after vol....,no.....year.....
☐ II. Cannot identify: more details please
☐ I2. Other answers

聯合國教科文組織所提議的圖書交換三聯卡

徵求交換的通訊函

圖書館名稱: ________________

地址: ________________

____

圖書館代表簽署: ________________

× × × × ×

本館希望按照下列條件和 貴圖書館完成交換計劃

交換條件: 以件易件________; 計值交換________

最高數量: 每年________件; 每年美金________元

交換範圍: ________________

____

出版品程度: 普通程度________; 精專程度________

出版品性質: (參考附註以代碼書寫)

□參見隨函附寄本館可以提供的交換品目錄。

□參見隨函附寄本館企望獲得的交換品目錄。

× × × × ×

※本館同意 貴館的相對條件交換, 並希望獲得下列交換書刊

交換範圍: ________________

____

____

正　面

出版品性質：（參考附註以代碼書寫）＿＿＿＿＿＿

□參見隨函附寄本版可以提供的交換品目錄。

□參見隨函附寄本館企望獲得的交換品目錄。

※本館因下列原因婉謝　貴館所提供的交換品：＿＿＿＿

＿＿＿＿＿＿＿＿＿＿＿＿＿＿＿＿＿＿＿＿

＿＿＿＿＿＿＿＿＿＿＿＿＿＿＿＿＿＿＿＿

圖書館名稱：＿＿＿＿＿＿＿＿＿＿＿＿

地址：＿＿＿＿＿＿＿＿＿＿＿＿

＿＿＿＿＿＿＿＿＿＿＿＿

圖書館代表簽署：＿＿＿＿＿＿

附註：出版品代碼

A. 政府出版品
1.專書
2.叢刊
3.期刊
4.報告及數據資料

B. 學術團體出版品
1.專書
2.叢刊
3.期刊
4.報告及數據資料

C. 非賣品出版品
1.專書
2.叢刊
3.期刊
4.報告及數據資料

D. 營銷出版品
1.專書
2.叢刊
3.期刊
4.報告及數據資料
5.新聞紙

背　面

交換工作的程序如下:

發出徵求交換對象之函件──→徵求交換書單──→整理交換書單──→選核所需資料──→發函通知對方並寄書──→收點交換得來書刊──→支付運費──→回寄書刊（若由對方先寄時）──→登錄收到書刊──→移書──→排列採訪紀錄──→建立交換紀錄檔（歸檔及管理）。

註記:

註一: 見顧敏撰「圖書館的交換業務」一文，教育資料科學月刊第十三卷第四期，第二十九頁至三十一頁。

註二: 請參見 Handbook on the international exchange of publication 4th ed. P. 19—20. UNESCO 1978。

註三: 請參見 The International exchange of publication, IFLA 1975。

第六章　期刊資料的採訪

第一節　期刊的種類與評價方法

本刊第三章第一節曾經簡略地提到期刊採訪的問題，那是就媒體的角度由叢刊方面提起的。本章以比較詳細的內容來談論期刊資料的採訪問題。期刊歷年以來逐漸受到重視，根據威廉凱玆的看法，我們一般人的閱讀有百分之八十是利用期刊的，看書籍本子的只佔百分之二十(註一)。閱讀人的傾向必然深深地影響了圖書館的採訪政策。

近年以來，期刊採訪已經成爲圖書館採訪作業中的一項衝擊，許多圖書館花在期刊採訪上的經費直線地上昇；公共圖書館在採訪的比例上而言，期刊的份量愈佔愈重；大專院校期刊費用的比例已佔了百分之五十左右；專門及學術圖書館所佔的比例更高。因此，期刊採訪在圖書館的重要性愈來愈受人重視。

「期刊」這個名詞常知見於圖書館界，同時和「雜誌」及「連續性刊物」兩名詞一直是連帶在一起的，有不少人認爲雜誌、期刊、連續性刊物這三個名詞令人產生困惑；總覺得三者之間好像是相關的，又好像是三位一體的，也好像不完全相同。雜誌、期刊、連續性刊物這三個名詞與英文裡的 Magazine、Periodical、Serials，三字相對應。其中以「雜誌」這個名詞出現得最早，其次是「期刊」，最後才出現和提倡的是「連續性刊物」這個名詞。

六十年前編纂的「辭源」，對於雜誌一詞僅做如下簡單的記載：「雜誌 (Magazine) 定期出版物。如月報、星期報等。按 Magazine 本倉庫之意」。

故可知雜誌在當時只是一個剛剛開創的新名詞，二十年後的「辭海」對於「雜誌」這條目有相當詳細的記載：雜誌 (Magazine) 發表衆多作者之著述之刊物也，英文 Magazine 原義爲倉庫。借用以名刊物，在示其內容之廣博。惟今日之雜誌，大部份分門別類，各具體系，有專論述政治及社會問題者，有專討究科學者，有專發表文學者，名稱亦各不相同，就出版時期言，有定期不定期兩種；前者有週刊、半月刊、月刊、二月刊、季刊等；後者以材料之有無爲斷，出版沒有一定的時期。編輯體裁，大抵分爲若干欄，將各家著述，按欄分置。

在當時廣收新辭的「辭海」中，對於「雜誌」二字解釋得那麼清楚，可見當時「雜誌」是個通俗而流行的名詞。相對地，「辭海」中未收列期刊這一單項，亦未做成參見條目，可知期刊在四十年前，還不是個常用的詞彙。

期刊這個名詞近三、四十年來才逐漸耳熟。目前我們一般常聽到的是「期刊資料」、「期刊目錄」、「期刊室」、「影印期刊」等複合名詞，而很少聽說「雜誌室」、「雜誌聯合目錄」等用語，這說明了「雜誌」二字，至少在圖書館界將逐漸成爲罕用名詞。

至於「連續性刊物」這詞彙，由來倒不短，但一直未能普遍化使用，目前仍只通行於圖書館界。按「連續性刊物」是指最廣義的期刊，也就是指繼續按某一種代號所出版的刊物，不論其爲可購品或非賣品均屬之，因此它包括常見的期刊與非常見的期刊，或者稱爲公開的期刊與限制的期刊。此處所謂的非常見的期刊或限制的期刊，包括各工業、經濟、甚至國防部門的定期績效報告，及定期業務檢討報告書在內。

一個名詞的運用，原只是對於語言運用的一種共同理解。因此，名詞的轉變，或因語意上表達範圍的蛻變，或僅僅只是習慣上的一種變動。本章仍沿用目前普遍眼熟的名詞——期刊，做爲這類資料的總稱。

期刊的解釋方式雖然很多。一般而言，凡發表衆多作者之著述，且連續性按期出版者，不論其爲定期或不定期，都稱爲期刊。新型的期刊每有其個性。茲以內容性質的觀點分別敍述如下:

一、學術性期刊

此類刊物通常都有某一種學科的限制，因此又名專科期刊。內容包括各種知識學術的論述、研討錄、及研究報告等。如科學月刊、中國園藝、電腦季刊、愛樂等。

二、法制性期刊

其內容爲機關或法定團體所訂之法令、規則、標準、計劃、方案及議事錄等。是期刊中最嚴肅者。如經濟部公報、衞生署公報、中央標準局出版之標準等。

三、書目性期刊

爲提供進一步資料的工具性刊物，書目、索引、摘要、書評等是資料中的資料，一般稱此種刊物爲二次資料或精煉資料，極具重要性。如書目季刊、書評書目、科學技術論文摘要等。

四、雜誌性期刊

上至天文，下至地理，均可包容，但它的水平介於常識與知識之間，比較注重通俗性，因此它的發展朝向於輕鬆與娛樂面。如婦女雜誌、今日世界、綜合月刊、讀者文摘等。

五、通訊性期刊

主要在報導消息，它的特點是發行次數較頻，各種快報、簡訊、通訊等均屬於此。如市場與行情、外銷機會、工業簡訊等。

另外，如果以出版者而言可分爲學會出版期刊、業者出版期刊、書商出版期刊、機關出版期刊。以出版日期區分：則包括短期期刊、中期期刊、長期期刊、不定期期刊。以傳播的觀點，則可分爲學術性、大衆性、思想性，與綜合性等幾種。

期刊與書籍不同，書籍每自成單元，介紹一個系統內的知識，期刊則呈生態現象，似有機體一般不斷地隨著知識學術的發達而成長。期刊中的每篇登載如同一個小小的細胞，每册刊物就像一片有生機的組織，而每套期刊又等於一個擁有相當功能的知識器官，如果將各種期刊總滙在一起，就誕生了一個知識體。知識體像人體一樣，人體的細胞有新陳代謝的自然作用，知識體內的每一篇論文，也將因學術的研討與演進而自然地機能衰老，漸失效用，由是觀之，期刊是一種活性資料。它的評價是很不容易的，但是優良的刊物，必有其一定的軌跡可循，這是期刊評論的基本立脚點。況且所謂評價評論並非是絕對的判決，因此瞭解了期刊的基本生態特性後，可在一定的範圍內進行分析與介紹。（註二）

一、評價的線索——出版資料

從期刊的發行外觀，可以獲取期刊評價的第一手參考資料。舉凡刊物名稱、創刊日期、編輯組織、出版單位、發行份數、每年發行頁數、刊期別、投稿之規定等等都足以做爲評價的最基本線索，玆分別說明如下：

1.刊物名稱：刋名是出版物的表徵，也是最概括的代表，刋名並且是第一個印象的媒介體。

2.創刊日期：期刋的動向，有時不是在一兩期之中，便可發現的，因此必須隔一段時日，再評價之，才不致「危險」。

3.編輯組織：一個刋物的推動力與活動範圍，深深地受著編輯團的影響。因此編輯人員的組成，對於期刋的水平有決定性的因素存在，瞭解編輯的陣容，亦有助於明白刋物的份量。

4.出版單位：不論出版單位，是學會、機構、書商或特定財團法人，只要是穩定而富於經驗者，必然不會出版太差的刋物，這必是可以用來做旁引的。

5.發行份數：發行份數的多寡，固不足以評定學術期刋的輕重，可是對於雜誌性的刋物，却是一項重要的因素的。

6.每年發行頁數：學術性期刋是否能保持穩定，最簡單的方法，就是計算其每年發行的總頁數。此項計算，廣告頁數除外。凡每年發行的總頁數在一定彈性範圍內者，則此種刋物必有完備之結構。

7.刊期別：刋期別貴在是否能一貫的維持，合刋的情況也是值得注意的。

8.投稿約定：任何一種刋物，總希望保持一定的方向與水準，而這種水準與方向的維持，主要是靠稿件來源的支援，因此對於投稿稿約的研判，亦有利於對刋物的評介。

二、評價線索——編輯政策

編輯政策足以影響期刊內容的範圍，因此編輯政策所帶來的線索，實有益於內容的判斷和評價的依據。編輯政策所牽涉的問題如下：

1.主題範疇：目前的期刋大都具備固定的目標與主題。大雜燴式的刋物，幾乎已不能生存，刋物的主題範圍，也是評介的重心所在。

2.編輯方針：這是期刋風格的由來，也是期刋的中樞神經，優良的刋物必有完美的編輯方針做爲指引。評價者若能掌握這項因素，便不難提其綱、挈其領。

3.文稿特性：文稿撰述的好壞，直接影響知識的傳播與吸收。故期刋評介者，宜查看其是否重視：記述方法、摘要、圖表及附屬資料。

4.使用語文：通常的刋物只使用一種語文，但也有使用一種以上的。若是使用一種以上的語文；則採用單篇混合排列記載，或是採用對照的方式說明記載。

5.版面分配：將版面的記載做一個調查統計，看看原著論文、綜合評論、文獻介紹、消息報導、以及廣告各佔了多少篇幅。必能提供對該刋物的瞭解。

6.讀者對象：每個刋物都有它所要服務的讀者羣，批評者要以讀者對象的剖面瞭解，方可體驗出該項雜誌的價值水平，而不致妄下斷語。

7.索引發行：一般的評者，對於索引之有無，甚少注意。其實索引的發行與其價值大有關係。高水準的刋物，均有習慣編製索引；以便利日後的讀者，查取所需。

三、評價線索——價值分析

價值分析與編輯政策及出版資料的研判不同。編輯政策及出版資料之做為評價線索，是由於透過主觀的瞭解，可從該兩項中，繪出其動向與型態，進而達到評價的資料。價值分析則不同。它是應用客觀的調查統計方法，做為評價的基礎，較少牽涉到「人」的因素，期刊的價值分析方法，計分為兩種：

1.引用書目調查法：將各種專業性的期刊，集中於一處。就其相關大主題之下的論文，互相印證一下。凡被引用頻率高者，就是比較被人運用的，也就是刋登之文發揮作用者。按專業期刋上的論述性文字，均有引用註解之必要。故利用這些註解與出處，來做一個反證，就可看出期刋的優劣來。

2.摘要索引調查法：期刊上的文章大都會被分門別類的收入各種摘要及索引之中，因此將索引集與摘要集中所收的項目做個簡單的核計。就可以用這項統計，顯示出該雜誌在同類中的地位。同時，如果將一段期刊做成主題分類統計，則又可瞭解這份刊物，在內容上的一個成長過程及趨向，這也是評價期刊的一種重要而客觀的因素。

以上所談的這些評價線索，都是一些原始的評價材料。選判期刊雜誌時，亦可參考現成的材料，例如別人已發表的各種書評或介紹性質的文章，甚或出版商自己提供的期刊樣張等，均可做爲選判的參考材料。

註記：

註一：參見威廉凱玆 William Katz 著 Introduction to Reference Works, vol. I Basic Information Sources, 1969 年版第九十八頁。

註二：參見顧敏著「評價期刊資料的線索」一文，刊於出版家雜誌第四十四期，第二十八頁至二十九頁。

第二節　訂購期刊的政策與方式

採訪政策直接關係服務工作的成效，爲使期刊服務的工作做得好，期刊採訪工作的責任無形中加重，因爲唯有良好不絕的資源，才能滿足讀者的需要，並完成期刊作業的最終使命。然而採訪政策這項先端工作最不易做好，經過各項實際問題的討論後，才能決定一項爲期一至三年的

期刊政策。茲就有關的問題分述如下:

一、採訪政策的決策者

政策的研討與訂定是爲了獲得具體的工作方案，並含有長期性、計劃性、與穩定性在內，由此可知，期刊採訪政策的釐訂，不是圖書館行政主管可以單獨決策者，更非期刊圖書館員單方面能力所及，比較合理的安排是以委員會形態的單位做爲採訪政策的決策者。(註一)

採訪委員會可在一個會計年度內舉行一至二次的常會，並可依實際需要舉行若干次臨時會議，俾便隨時討論重大的採訪問題。採訪委員會的中心工作與主要任務約分爲四項:

1.釐訂政策: 決定大綱、計劃，使採訪工作能在定軌下進行。

2.分配經費: 在既定之採訪政策下，進行合理而必要的經費支配，以便業務順利進行，並包括採訪預算的製成。

3.審核書單: 各單位所擬定的初步書單，應由委員會作最後之定奪。

4.研討問題: 凡是有關採訪技術、採訪業務所涉及的問題加以研討與改進。

二、影響期刊採訪政策的因素

訂定採訪政策的目的乃是爲了加强期刊工作的流暢,

訂定採訪政策所依據的因素約包括閱覽記錄報告、價值分析調查、配合分工計劃、保持完整收藏等項。

1.閱覽記錄報告——爲配合現有讀者的需要，可從期刊流通的記錄中獲知：

⑴現期雜誌之借閱統計。

⑵裝訂期刊之參考統計。

⑶影印及其他複製本之統計。

將上述的統計與已往的記錄加以整理、比較與分析，不但可知讀者目前的需要，並且可以按照統計數字，表示出主要趨勢，以爲廣大的讀者腹地，進行事先的準備，這是採訪期刊時必須要考慮到的。

2.價值分析調查——期刊價值的判別，除了用主觀的學識鑑別外，尙有客觀的調查分析方法可做依據，其一是引用書目調查法，其二是摘要撰述調查法。

3.配合分工計劃——爲期特種資料能搜羅完全，達到互通有無的默契合作，圖書館往往參加區域性或全國性的分工合作計劃，期刊採訪工作應配合館方在互助計劃下所承受的角色盡力搜集指定範圍內的有關刊物，如一館在圖書館合作系統中，經約定爲美術資料方面的集中者，則該館應全力往這項目標搜集，不必顧及這項資源是否有即刻的讀者會上門。這是從長期性的着眼點爲準，也是配合分工計劃下所應遵守的採訪原則。

4.保持完整收藏——單本期刊之內容雖然繁雜，然就整體而言仍有其貫性存在，因此期刊資料最忌時斷時續，缺斷部份非但本身不能提供讀者利用，尙且會嚴重影響到整個雜誌的使用率，爲了免除這種可能的缺憾，必須儘量保持收藏的完整性，旣或是該期刊目前的利用率或價值性正在下降之勢，仍宜續訂一段時期，一則靜觀其編輯方針是否改變，另則再進一步求取其使用率的平均數，以做爲最後判決的根據，若自創刊號即已搜集之刋物，更宜極力保持其收藏之完整性，因爲這種情況，應增加一層「歷史性」的考慮。

經過各方面詳細而周密的研究與討論後，期刊採訪政策的訂定者除了要決定資料蒐集的方向與經費運用的分配外，還必須規劃出一套中長期的計劃性方案，以爲負責期刊的圖書館員指引工作目標。

三、訂購期刊的方法

期刊採訪不僅僅是指利用經費去購買雜誌，亦包含着用其他方式去獲得資料，但有一項不可否認的事實是——大多數普及而有價值的刋物，必須付出相當的代價，才能獲取。「訂購」無疑地是期刊採訪的主要手段。

以圖書館或資料單位而言，期刊訂購工作佔整個期刊採訪的大部份。訂購工作是否順利完成，往往又與訂購方式有關，而決定期刊訂購方式的原因，可分爲下列幾點:

1.訂購總金額：即訂購期刊費用的總數。這是各項工作量的初步計算根據之一，訂購總金額超過某一限度時，期刊採訪宜有專人負責。

2.期刊平均值：估計期刊的平均值後，可以將折扣與手續做一個比較。平均值低者交代理者處理合算，平均值高者，直接享受優待價較經濟。

3.訂購範圍：訂購範圍的意義很廣，包括期刊種類、語文、以及出版地區等，因此它關係於作業範圍是否能夠集中。

4.人員調配：作業量與作業能力的預估，是工作進行時的必要考慮，它與經濟效率直接有關。

5.出版者意願：出版者中有不接受直接訂戶者，亦有不輕易提供出版品者，前者通常是發行量龐大者，後者多半是學術性高者。

至於期刊訂購的方法，一般分爲三種，第一種是利用分頭接洽的方法去進行，稱爲「分戶式訂購」。又名「直接訂購」。第二種是經由特定的代表，集中洽購，名爲「統一式訂購」，又稱「間接訂購」。第三種則是兼取一、二種的特點，稱爲「折衷訂購」，又名「雙軌訂購」。此三種訂購方式孰優孰劣，圖書館工作人員並未取得共同認可，蓋考慮的角度不同，往往產生的結果也迥異，由於各有其牽涉的因素，故三者正同時流行並盛，玆簡述採用各

種訂購方式時，可能產生的情況:

1.直接訂購: 所謂直接訂購，係指圖書館人員分別向各期刊出版者或總經銷處進行採購工作，因此各種連繫、詢問、追踪，以及問題的發生與解決，均與第三者無關，僅是兩者間面對面直接洽商的事情，故就理論上而言，辦事手續方面是比較直達的，惟以實際工作而言，有許多地方宜事先完善顧及（註二），例如:

⑴經費處理問題: 此種訂購方式，由於是分戶式的形態洽購，從估價、滙款到結帳等經費方面的支出與報銷，都是零星處理的，而這種會計工作的效率，要靠精於此道的熟手來配合處理才行。

⑵時空距離問題: 此問題對於訂購國內期刊，不發生太多的影響，而向國外訂閱期刊時，却是一個嚴重的問題，因爲它關係工作效率。舉凡一切的通信、連繫等均與此有密切關係，除非期刊的採購連繫工作，進入電傳打字的通信階段，則時空的問題，將一直存在。

⑶人員問題：直接訂購時，一切的手續及細步工作，均由圖書館人員擔負，故可預見的是工作量必然大增，除了人手問題外，同時爲求工作之精確與完善，宜深一層的考慮素質，因爲人力是一件非常重要的因素，它足以影響整個採訪作業的績效。

2.間接訂購: 此種方法是透過某固定代理者，統一辦理訂購手續。圖書館與出版者不直接發生業務手續上的關係，洽購處理的保證是經由契約行為的責任而來，也就是說代理商向圖書館負責一切手續及其他有關之事宜，因此圖書館 可以把作業 程序簡化，用最少的人力 進行採訪工作，並將工作重點轉移到讀者服務上。唯採間接訂購亦有兩方面的考慮:

⑴代理商的選擇: 代理者的選定是採間接訂購方式時，最先要注意的問題，一般可從信譽與作業兩方面進行調查性瞭解。（註三）

A、信譽的瞭解:

①該代理機構是否有不良記錄。

②資金的彈性是否可靠。

③其他單位對該代理商的反應如何。

B、作業的瞭解:

①該單位是否自己經營，或僅是轉手性質。

②以往是否有豐富的經驗。

③組織是否健全。

④服務精神與態度如何?

⑵合同的訂立: 採代理商訂購者，為了達到契約行為的保障，劃分兩方權利、義務的關係，以利日後工作之進行，實應訂立一項合同，做為雙方的憑據，就圖書館立場而言，這是比較週到的措施，可將違約之情形降到最低

的限度。

3.折衷訂購：所謂折衷訂購是期刊處理人員，將館內所要訂的刋物，分爲兩部份，一部份交代理商委辦，另一部份則自行辦理，亦即採行雙軌訂購的方式，在直接訂購和間接訂購之間，擇優而行。採行的原則爲：

⑴國內者自行辦理，國外者委託辦理。

⑵期刊平均值高者，自行辦理；平均值低者交委辦。

⑶現刋者交代辦，逾期刋物自行辦理。

這種雙軌式的訂購方式，在理論上而言，是取兩者之長，又佔經濟利益，但是在實施上而言，必須負擔加倍的考慮，諸如：

⑴準備工作變得繁忙。

⑵結算工作變得複雜。

⑶連繫工作變得多元化。

這些都能直接影響訂購的工作效率，雙軌訂購的方法，僅接近完美而非十全十美。

四、逾期期刋的採訪

一般的期刋採訪工作，係以現刋物(Current Issue)爲主，而大多數的圖書館也僅將注意力集中於現期期刋的採訪，其實就整個期刋作業而言，逾期期刋(Back Issue)的價值，絕不亞於現期刋物，甚而超越之，故逾期期刋的採訪也是圖書館中很重要的工作之一，它不但關係於圖書館資源的擴充，同時也是達成完整收藏的必要步驟。就擴充資源而言，圖書館在某需要下新訂一種期刊時，若環境許可，最好能自創刊卷收藏，這種收集能使資源的縱深與範圍同時擴大，就完成收藏而言，是將中斷採訪、缺期漏卷或流通散失者，全數追補齊全。因此，豐富資源與保全收藏是逾期期刊採訪的兩大任務。

至於現期期刊與逾期期刊如何分野呢？這倒沒有一個很明確的統一規定，普通有下列情形者均可稱爲逾期刊物。

1.發行時間超過三個月以上者。

2.發行卷滿，新卷開始時，上卷卽入檔者。

3.絕版或缺版者。

現期刊物的媒介形態通常都是很單純的，而逾期期刊則大不相同，這是採訪逾期期刊之前，應該研究的事情，有了各種媒介形態的瞭解後，方可擇取其中最經濟的途徑，進行採集工作。也有些圖書館把逾期期刊的採訪，列入書籍採訪的範圍處理。

註記：

註一：參見顧敏著「期刊採訪作業的基礎」一文，刊於國立中央圖書館館刊第六卷第二期第三十三頁至三十七頁。

註二：參見 Suzanne N. Griffiths 著 Journal Purchase and

Cancellation: A brief Look at the Problem in Five British Academic Libraries 乙文，刊於 The Serials Librarian V. 3 N. 2 P. 167-170 1978.

註三：參見 Harry Kantz 著 Serials Agent: Selection and Evaluation 乙文，刊於 The Serials Librarian V. 2 No. 2 P. 139—150 1977.

第三節　期刊的登錄與催缺

期刊經營中有兩項工作和期刊的採訪是密不可分的，這兩項工作便是期刊的登錄與期刊的催補，期刊登錄等於書籍訂購中的收書作業，期刊催補是採訪作業中的一項延續工作，沒有一個圖書館可以免去期刊登錄和催補的工作。

登錄期刊的程序

圖書館所訂購的期刊，通常都是一期一期的透過郵寄由出版社送達到圖書館。郵寄到的期刊在登錄時有下列幾個步驟：（註一）

(一)校對郵封上收件人的名稱與地址，確係本館所訂者才可收下，非本館所訂者退回郵局。

(二)拆封時要小心謹愼以免損及郵封內的刊物。郵封上的地址名條應予裁剪一份存查，或者直接黏貼在期刊登錄卡的適當位置，以便催缺、連絡或更改地址時查考之用。

㈢拆封後的期刊，應按照刋名的順序排列，以配合期刊登錄卡的序列，節省登錄時翻檢的手續。

㈣將排理好的期刊按序逐一的登錄於登錄卡，登錄時先要仔細地核對期刊刋名、發行日期、卷期，分卷期數等必須和登錄卡上的資料完全符合才能核入（註二）登錄卡之內。有些封刋的刋名和書背及其他地方之刋名，用字不完全相同，有時期刊刋名反被誇大性的內容標題所蓋過，而造成刋名的錯覺。

㈤登錄時最好註明登錄的日期，也就是收到的日期，如此有助於預測下一期大約何時到館，也有助於決定該不該催缺及何時催缺的問題。

㈥對於期刊的隨刋附贈物，以及目錄或商業廣告，都應該謹慎的處理，有些刋物並有附錄或隨函附加之副本或抽印本，遇到這種情形都需要酌加註記。對於彙編式索引，每卷之索引應特別的登錄於登錄卡之內，俾便裝訂時一併裝訂。

㈦對於來路不明的期刊，在未確定爲贈送刋物、樣品刋物，或交換刋物之前，先不予登錄。

期刊登錄卡的樣式如次頁附圖所示。

期刊登錄卡之一 正面

名稱 來源

出版者及地址

刊. 全卷期數 全年卷數

年	卷	一	二	三	四	五	六	七	八	九	十	十一	十二		

期刊登錄卡之一 反面

分類號 創刊年月

索引

裝訂紀錄

期刊登錄卡之二

名　稱														來源							
出版者及地址																					
年	1	2	3	4	5	6	7	8	9	10	22	23	24	25	26	27	28	29	30	31	訂
一　月																					
二　月																					
三　月																					
十　月																					
十一月																					
十二月																					
V，已到：X，臨時停刊。																					

期刊登錄卡之二　反面

定價			裝釘			式樣			顏色			
徵　　求						補　　缺						附　　件
年	月	日	年	月	日	年	月	日	年	月	日	
備　註												

期刊登錄卡之三

T. & Freq:

Publisher:

Agent or Supplier:

Price	Yr(v) / M(n)	Jan.	Feb.	Mar.	Apr.	May.	June.	July.	Aug.	Sept.	Oct.	Nov.	Dec.	Index

Source & Other Remarks:

Code: T. Location:

催缺工作是期刊管理中最感頭痛的作業，所謂「催缺」是指採訪的期刊未能按時到館，而利用通訊的方法加以催索補齊。在圖書館傳統觀念的作業上，期刊催缺工作總是和期刊採訪工作連在一起的，有些人認爲催缺工作是採訪工作的延續，因此兩者是不可分割的。

期刊缺期的原因有下列幾種情況：

㈠郵寄名條發生錯誤；地址弄錯或是收件人名稱不符，以致不能收到刊物。

㈡郵遞上的誤差；郵局在分發作業時產生誤差，致使後一期刊物先收到，而前一期仍未收到。

㈢出版社分發時發生失誤，漏分了某些或某一單位所訂的刊物。

㈣訂單通知發出得太晚，致使出版社未能預計於分發之內，致使訂購的前幾册無法收到。

㈤出版社未能準時出刊，出版社暫停出刊，兩期合刊等因素。

以上各種情況，造成在預定的時間內，收不到期刊。期刊的催缺要憑工作人員的經驗作判斷處理，各種刊物從發行日至本館收到的日期大都有一定的時間，過了相當時間即需去函催缺。

催缺的頻率，週刊每兩週催缺一次，月刊每月催缺一次或是收到第二個月的刊物時再催缺頭一個月未收到之期刊，季刊一年催三次，半年刊一年催一至二次（註三）。

期刊的登錄和催缺這兩項工作，通常連貫在一起。平常都是先由登錄作業中發現缺期而進行催缺的。亦有定期翻檢登錄卡若發現缺期便進行催缺。

註記：

註一：參見沈曾圻、曹美芳編著「西文圖書期刊採購實務」一書，第九十九頁至一〇一頁。國科會科學技術資料中心出版。

註二：英文名叫做 Cheek in。

註三：同註一。見第一〇五頁。

第七章　縮影資料採訪

第一節　縮影的意義與種類

縮影資料就是將文獻縮小攝影於軟片材料之上，亦即在軟片材料上一系列的縮小攝影資料，需要利用光學的方法閱讀，並可複製副本，或放大製成肉眼可視的文件。（註一）

縮影資料在圖書館中已有數十年的歷史，但仍被視爲是一種新興媒體。原因是已往圖書館所擁有的縮影資料大都爲自行拍攝而保存的，不然就是由友館交換而得。近年以來這種情況有了改變，一則因爲縮影出版事業欣欣向榮，每年有百分之十以上的成長率出現。再則愈來愈多的現刊本，也同時利用縮影出版。例如就以聯合國的出版品而言，聯合國一九七四年至一九七七年的計劃裡，每年平均要製作一萬五千張單片縮影的母片，和七十五捲的成捲縮影母片。聯合國總部的出版品，並不比任何一個國家的部級行政單位龐大，儘管如此，我們也可以發現它的縮影資料出版量是很可觀的。

那特氏在一九七五年所發表的「縮影資料及使用者」一文中指出：未來在參考及研究圖書館中，約有百分之九十的新資料，將以縮影形式發行。（註二）

蘇利文氏在一九七三年，發表了一篇有關「縮影資料發展和採訪工作關係」的文章，蘇利文指出，在一九七〇年時，美國七十六個主要圖書館對於縮影資料的收藏，總計達到三千四百四十一萬餘件，平均每個圖書館的收藏達到四十一萬二千八百餘件，近年來的增長更是非常迅速。這種情形說明，縮影資料在圖書館的資源收藏中，已佔有很重要的地位，縮影資料的湧向圖書館自然而然的產生了縮影資料的採訪工作。

縮影資料的種類很多，以媒體的形式而言，可包括下十種：（註三）

一、成捲縮影（Reels & Spools, 16mm, 35mm）；成捲縮影的儲存型態，就像普通的電影片一樣，但是普通的影片每捲通常有三〇五公尺，也就是一千英呎之長。而成捲縮影的國際標準規格是三〇公尺，也就是每一百英呎獨立構成一個儲存單位。成捲縮影的度片厚度，以不超過0.16厘米爲標準。

二、長條縮影(Microstrip)：長條縮影的儲存型態，就好像普通裁切好的照相底片似的，只是在底片的邊緣加上硬質的保護套，長度爲三吋、四吋到六吋不等。長條縮影一般以處理零星而獨立的資料爲主。

三、夾檔縮影 (Micro-Jackets)：夾檔縮影的儲存型態，是集一組長條縮影，將之歸檔在一個四吋乘六吋或五吋乘六吋的夾檔之內，每個夾檔內約可歸存三到四項長條縮影，由於夾檔縮影外型固定，不會有零散的感覺，容易管理。

四、縮影單片 (Microfiche)：縮影單片的儲存型態，有一個國際規格，那就是四英吋乘六英吋大小的一大張底片，這種大底片是由一〇五厘米的大型底片，攝製與裁剪而成的。縮影單片在一九六〇年時起源於歐洲。

五、卡式縮影 (Cassettes)：卡式縮影的儲存型態，就和卡式錄音帶很相似，在一個密封的長方形盒子內，有兩個軸的記錄帶，這種記錄帶由於成本費用比較高，目前未普遍化。

六、匣式縮影(Cartridger)：匣式縮影的儲存型態，是成捲縮影型態的一種改良型，將一捲縮影資料封密在一個正方型的塑膠硬匣之內。它的基本原理和音樂匣有一點類似。匣式縮影可以利用機械檢索，因此它的儲存成本雖然高一點，但是極便利的檢索性，使得匣式縮影非常的受到人們的歡迎。

七、孔卡縮影 (Aperture Cards)：孔卡縮影的儲存型態是很特別的，它是由一張輸入電腦用的打孔卡片，和一份三十五厘米（或二份十六厘米）的縮影底片結合而成的。打孔卡片的大小通常是長七又四分之三英吋。縮影底片一般輕黏於打孔卡片的右邊處。孔卡縮影的最大好處就是可以利用電腦輔助機器之一的分揀器（Sorting Machine），來進行檢索與追踪的工作。目前的孔卡縮影資料本身不能進入電腦作業。但是它利用電腦原理來檢索，已替管理上帶來很大的便利。

八、超級縮影（Ultrafiche）：在超倍率的縮影資料中，最常出現的要數超級縮影單片，例如美國的檔案經營者及行政者協會（ARMA），曾把一千二百位會員通訊錄，製在一張超縮影的底片上，目前又有人研究把超縮影的技術和雷射光的技術配合在一起實驗，使得超縮影可以直接的輸入電腦作業，超縮影是一種高度工藝研究發展的儲存型態，正在不停的發達中。

九、正片縮影(Micro-opaques)：這是一種不以軟片爲儲體的縮影資料，正片縮影的外形大小很不一致，小的有時只有三吋乘五吋大小，大型的有白報紙八開這麼大。正片縮影的質地就如同普通的白色硬模紙。也是一種「白紙黑字」的型態，普通要透過閱讀機閱讀才可以，但是緊急時可利用放大鏡看讀。正片縮影本身不能複製，也不能複印。所以正片縮影是一種偏重於保存的儲存媒體。

十、紙帶縮影（Micro-Tape）：紙帶縮影的型態就如同電報機或電腦所用的輸入紙帶。這種儲存型態的縮影資料主要的優點是可以利用機械作業，惟尚未普遍化。

縮影採訪工作愈來愈受圖書館的重視，受重視的原因包括下列三項：

(1)縮影出版量的增加：近年來縮影出版事業頗爲發達，每年的成長率達到百分之十以上。縮影出版在數量和範圍方面的擴張，使得沒有一個圖書館有能力，或有必要收藏全部的縮影出版品，因此蒐集縮影資料的圖書館，業已開始從已往儘量收集的方式，改弦易轍爲重點式的採訪，這是縮影資料在採訪工作上，受到重視的第一個原因。

(2)縮影資料的使用性提高：原先利用縮影型態發行的資料，幾乎全部都是回溯性的舊資料，新出版的資料均不會利用縮影型態來發行的。目前，這種情況已經開始改變，許多資料在一開始出版時，就包括一般傳統性的印刷本和縮影版本。例如哈佛教育評論自一九七〇年代開始，所有的現刊本，都有縮影本同時發行。由於縮影本和印刷本同時發行，使得縮影資料，在時效上可以和印刷資料並駕齊驅，這是縮影資料在採訪工作上受到重視的第二個原因。

(3)縮影閱覽室普遍化：縮影資料的閱覽是一種間接方式的閱覽，必須要透過閱讀機才能進行。對於一般的讀者而言，有時會產生兩種心理上的隔閡感覺，第一種感覺是要去面對一部帶有影幕的物體；第二種是起因於要操作簡單的機械。好在目前這種心理因素已自然而然的逐漸消失，對於看影幕及閱讀影幕上的字體，幾乎已成為人人都很熟練的經驗，現代人都有充份的看電視經驗，將這種看電視幕的經驗，轉移到縮影資料的閱讀，是很順當和自然的事情。至於閱讀機的操作，根據艾爾滋（Arntz, H）的統計，平均在二十秒鐘之內，縮影資料的閱覽人便可找到任何一頁他所要的資料，簡單的器械操作，對於人們來說都已經不成一回事，在日常生活中，遇到挿頭、按鈕、看標示等這類動作是不勝枚擧的。心理感覺上的坦適，是縮影閱覽室普通化的原因，而縮影閱覽室的普通化，更加要求採訪作業按照計劃性實施。這是縮影採訪受到重視的第三個原因。

由於以上三項原因，引起了圖書館對縮影資料採訪的討論與研究，同時也開始重視縮影資料的採訪。

註記：

註一：見 Unesco Bulletin for Libraries. March-Apr. 1976.

註二：那特 Susan K. N tter 著 Microforms and the User. 刊於 Drexel Library Quarterly v.11 No. 4 p.17-31, 1975.

註三：見顧敏著「認識縮影資料」一文，刊於中國圖書館學會會報第二十八期。

第二節　縮影資料的選擇

訂購縮影資料前，必然要對所訂購的資料，加以研判和選定。一般而言，做爲研判和選定的依據，不外乎包括書目資料，縮影單元，型態特性及檢索問題等幾方面去找線索，以便替縮影出版品的訂定，立下一個工作上的標準。（註一）

一、從書目資料選擇　縮影出版品的書目資料，比一般的圖書略爲繁雜一點，包括以下各項。

⑴著者（或編著、纂者、輯者……等）。

⑵出版品名稱（Title），包括書名、副書名等。

⑶原件的出版地點。

⑷原件的出版者。

⑸原件的版權問題。例如版權登記時間及版權所屬。

⑹若爲修訂本，注意爲那一種版本。

⑺是單册資料或者是多册資料。

⑻如果是叢書，應該把叢書名及叢刋的號次一併記入。

⑼如果是翻譯本，要瞭解它的原名叫什麼，使用那一種語文寫的，譯者是誰。

⑽如爲會議資料，要注意這項會議的地點、時間及主

辦者。

⑾關於集刋性的縮影資料，如果是一種不完整的發行時，要注意指示缺漏的册次部號。

⑿關於整套的集刋，以縮影發行時，要注意它是否列有篇名，或者是詳目表。

二、從縮影單元選擇　縮影單元是指一件完整的縮影資料，在外形的「包裝」上呈怎樣的一種狀態，譬如我們可以瞭解一下:

⑴該項縮影品共包含多少頁的原件資料。

⑵該項縮影品共包含多少册的原件資料。

⑶該項縮影品共包含多少種的原件資料。

⑷該項縮影品本身共包含多少單元 Unit 。例如爲一捲縮影捲片，或是三張縮影單片等。

三、從縮影型態特性選擇　選擇縮影資料的第三層標準，便是有關縮影型態的特性 Microform Specification 我們必須以選擇最適合本單位需要的材料，配合已有的設備而決定。

縮影型態可包含下列幾點:

⑴縮影的型態和大小。例如爲單片縮影或爲三十五厘米捲狀縮影。

⑵縮影所使用的倍率。例如爲二十四倍、四十二倍或更高之倍數。

(3)影像與原件相同或相反，即爲正片或負片（Positive or Negative）。

(4)軟片的規格如何。例如爲銀化軟片，達索軟片，或凡士軟片。

(5)是項縮影出版品是否有固定的縮影型態標準。

(6)縮影品的秩序如何。以數字、文字或年代爲先後順序。

四、從出版性質選擇：縮影版的資料在發行時，有四種不同的性質，分別稱爲縮影發行 Micropublishing，縮影重刊Microrepublishing，縮影印製Microduplication縮影再印製 Microreprinting。

(1)縮影發行；是指此發行品的內容屬第一次公開，就是新資料，直接由縮影形式出版發行。

(2)縮影重刊：是將以前曾發行過的出版品，用縮影形式再次發行或是普通印刷本和縮影版同時發行，都可稱爲縮影重刊。

(3)縮影印製：是由縮影母片，再複製出許多拷貝的縮影媒體，也就是產生了所謂的第二代縮影資料或第三代縮影資料等。當然縮影印製的次數多了，解像率就會或多或少的受到影響。

(4)縮影再印製：是由縮影資料的母片，印製成略大或略小的縮影資料於不透明的卡片之上，這種方式叫做縮影再印製。

五、從縮影檢索選擇　選擇縮影資料時，也需要對檢索上的便利性加以考慮，因爲有良好檢索方式的縮影資料，才能達成我們採購它的初衷。

縮影檢索要考慮的事項包括：

⑴此項縮影出版品是否附有已編目之目錄卡片。

⑵此項縮影出版品是否附有書目。

⑶此項縮影出版品是否有索引。屬於那一種儲存型態的索引；索引卡，書本索引，或電腦化索引。

⑷此項縮影出版品之參見指引 Cross Reference Guide 是否詳細。

⑸是否配有捲狀縮影指引 Reel Guides。

註記：

註一：見沈曾圻、顧　敏著「縮影技術學」一書第五章第一九二頁至一九六頁。技術引介社出版。

第三節　縮影資料的採訪政策

縮影資料的採訪目的，在建立一個縮影媒體的圖書收藏，除了極少數單獨設立的縮影圖書館之外，一般的縮影圖書收藏通常都是屬於一座圖書館的一部份，在這種情況下，縮影採訪就成爲圖書館採訪工作的一部份。圖書館的採訪工作，一向以該圖書館的業務目標爲依歸，縮影資料的採訪也是以圖書館的業務目標爲首要。

縮影採訪工作的進行，除了以業務目標(即經營目標)爲首之外，必須要推演到政策的取捨，從政策取捨的判定，再設計各種可行的作業模式，最後綜合經營目標，政策取捨，作業模式的研討與分析，配合經費與效用上的估量，便可定下實施計劃。(註一)

一、經營目標：各類型的圖書館，均有各自不同的經營目標，譬如公共圖書館是以提供敎育性、娛樂性與消息性的資料，給一般民衆做爲業務目標。大學圖書館是以提供配合敎學、研討及學習的資料，做爲主要的業務目標，而專門圖書館又是以提供和本單位事業有關的各種研究性資料，及有益身心的資料爲業務目標。不管圖書館的性質如何，每個圖書館總是以它業務目標的需要，做爲採訪政策的基礎，縮影資料的採訪工作也不例外。

二、政策取捨：圖書館在採訪縮影資料時，除了掌握自己的經營目標外，必須做出若干政策性的決定，這種政策性的取捨，可以替實際的採訪工作帶來了原則性的方向。政策上的取捨可以依據下列考慮的因素而達成。

⑴這項採訪是否以減輕書庫的壓力做爲出發點。

⑵這項採訪是否以擴充圖書館的資源爲主要目的，或

者是以達成館際間的資源共享爲目的。

⑶這項採訪是否以配合現有之讀者胃口爲主要目的，或者還兼及潛在讀者的考慮，而擴展更大的資訊傳播面積。

⑷這項採訪是否以介紹新的學術領域爲主，或者僅以追溯性的現有範圍爲準。

⑸這項採訪是否以自行採購爲主，或者其中的一部份，可以透過資料交換的方式來進行。

這些因素的考慮，有助於決定採訪上的許多取捨問題，同時也可借此訂下明確的縮影採訪路線。

三、作業模式：採訪政策經過取捨之後，有了明確的路線可循，下一步便要研究如何去做，以及計劃如何做法，這就是作業模式的設計。作業模式可按下列的考慮來設計。

⑴分配各種不同的縮影資料媒體，在採訪上所佔的比率。譬如成捲縮影與單片縮影的分配率。

⑵分配現刊資料的縮影版本與印刷版本的採訪比率，除非使用率特別頻繁的資料，一般只要在兩者之中，選一訂購，因此，這項作業設計的考慮，必須和普通採訪會同辦理。

⑶分配預算，決定優先次序。

作業模式是替採訪工作做好安排與分配的事情。作業模式往往可以多設計幾套，然後選擇一項比較可行的方案。

四、費用與效益：縮影資料的採訪政策，雖然可由經營目標，推演到政策取捨，再由政策取捨，分析組合成作業模式，這種客觀形勢的分析是很要緊的。可是採訪工作的主觀情勢也是要顧及到的；費用與效益問題，便是縮影資料採訪的實際因素問題，費用和效益能配合時，便可以圓滿的完成採訪政策所賦的使命。

縮影資料採訪最重要的是政策問題。至於訂購手續則和一般的圖書訂購相同。

註記：

註一：見沈曾圻、顧敏著「縮影技術學」一書第一九〇頁至一九二頁。

第八章　圖書館採訪作業的發展與趨勢

第一節　館際合作與圖書採訪

圖書館與圖書館之間的館際合作，在主觀方面而言，歸因於出版量太多太快，以致任何的一個圖書館都收不勝收，集不勝集，再加上經費上的限制以及圖書選擇上的技術問題，使得各圖書館必須立下自己的作業範圍與收集界限。客觀方面而言，讀者的知識需求量隨著教育的普及愈提愈高，單一的圖書館已經承受不了各方讀者的需求壓力，甚至承受不了一個讀者在多方知識領域內的需求壓力。為求普遍性地滿足讀者的需要，圖書館事業的規劃由純粹的個別走向集體合作的制度，也就是由一羣圖書館的結合，服務一大羣的讀者。

合作採購與資源分配

館際合作的項目很廣泛，包括合作採訪、合作編目、合作典藏、合作流通、合作推廣等。合作採訪是圖書館館際合作中有聲有色的一個大項目，因爲合作採訪不單純是一項工作上的問題，也是一項重大的圖書館經營政策。一個圖書館既無法擁有全部的出版品，也就無法包羅全部的知識資源。圖書採訪和圖書館的服務資源直接有關，因此，現代圖書館的一項重要課題就是——資源分配的問題，也稱爲資源分享（註一），有了資源分配的決策，便可確定一個圖書館自已本身的收藏重點，以及和其他圖書館分配收藏的重點。

近代圖書館史中有名的幾次合作採訪發生在美國，一九四八年至一九七二年間，美國實施了一項「法明頓計劃」（註二），該項計劃的工作目標是將美國以外地區的重要出版品，都至少在美國保存一份，而令美國的研究人員不必千里迢迢的遠赴美國以外的地區去找資料，這計劃在一九四八年開始時就有四十四個圖書館參加，隨後在美國又實施了「拉丁美洲合作採購計劃」、「美國全國採編計劃」等措施（註三），在美國所實施的幾種合作採訪計劃裡，都顯示出了圖書館的資源分配，必須合作進行才能達到較理想的境界。

合作採訪計劃的實施，應注意下列的基本原則：

⑴參與合作採訪計劃的單位，不可存有依賴的心理，本身的採訪計劃仍應徹底的執行。

⑵合作採訪的分工要仔細，在分工之前宜先調查各館

的館藏紀錄，配合各館可能建立的完整檔，再實施分工，可收事半功倍之效。

(3)合作採訪需訂有中程及長程的目標，逐次逐階段地完成資源開闢的建設工作。

(4)參與合作計劃之單位應長期性的定期舉行協調會議，溝通意見，分派工作。

(5)合作採訪的同時，應設立一聯合目錄，以供各館參閱而免除可能的重複。

所謂合作採訪，事實上是一項分工計劃，也就是如何分配各館建立服務的資源。

統一採購與集中處理

國家科學委員會自一九七五年起，把輔助各大專院校的圖書購置經費，交由科學技術資料中心向國外辦理統一採購，據悉統一採購之用處包括下列各項。(註四)

(1)爭取書刊研究運用的時效。

(2)減免不必要的重複訂購。

(3)減少期刊缺期及書籍缺書之現象，即提高到書率。

(4)迅速獲知國外最近書刊的出版消息。

(5)獲得較高之折扣優待，節省經費。

(6)發揮補助經費之最大功能。

統一採購是集中人力、物力、財力辦理訂購的手續，紀錄與分發。透過集中處理的方式，減少各單位的各別作業量。這是另一種型式的館際合作，它的重點在於分享集中處理的成果。

由上可知，圖書館的採訪作業，有時並不僅限於一館之內的作業，有時必須和其他圖書館合作從事。

註記：

註一：英文名稱 Resources Sharing 見 Allen Kent 著 Library Resource Sharing Networks: How to make a choice 一文，刊 Library Acquisition: Practice and Theory V.2. No.2. 1978. p.69-72.

註二：參見張鼎鍾著「圖書館的技術服務」——資料的徵集一文「圖書館學」第二六九頁至二七二頁，中國圖書館學會出版。

註三：參見 Stephen Ford 著 The Acquisition of Library Materials 第七十七頁至七十八頁，

註四：見沈曾圻、曹美芳著「西文圖書期刊採購實務」一書，科學技術資料中心出版。

第二節　標準號碼與圖書採訪

本世紀六〇年代中期以後，世界各地的出版量劇增，形成了所謂資料爆炸的時代。面對著浩浩瀚瀚的書籍刊物，出版人員和資料管理人員都頭痛不已，傳統以書名或著者的方式來管制書刊的辦法，漸漸不勝負荷。遂有人想出了以編號的方式來管制書目資料，以方便出版品的流通與資料的管理。隨之，發展出了國際性的標準號碼，標準號碼的運用，替圖書採訪工作帶來了許多重大的影響。

國際標準號碼的形成

國際性的標準號碼包括兩大系統，一為國際標準圖書號碼（註一），一為國際標準期刊號碼（註二）。國際標準圖書號碼起源於一九六六年十一月在柏林舉行的「第三屆世界圖書市場研究及圖書交易正常化會議」（註三），當時與會人士考慮到用電腦來處理圖書的訂購工作及編製圖書目錄明細表，於是建議用一種統一和簡單的號碼來處理圖書，這種圖書號碼又必定是要公認的。國際標準組織在一九六七、一九六八、一九六九年分別舉行會議，一九七二年國際標準組織正式將英國倫敦經濟研究所福斯特教授所發明的一套編號系統訂為第二一〇八號標準案（註四），國際標準圖書號碼也就誕生了。國際標準期刊號碼起源於一九六七年聯合國教科文組織和國際科學團體聯合會，該次會議研討了建立世界科學資訊系統的可能性，據於此項構想該會議所設的目錄著錄小組遂建議建立一種全世界都通用的編號系統，以記錄和傳播期刊文獻的正確資料。國際標準組織於一九七〇年提出「國際性期刊資料系統可行性與初步系統設計報告」並獲會議通過，交付聯合國教科文組織試辦，嗣後再經過技術委員會研討後，於一九七二年在海牙會議中決議批准「國際期刊標準號碼」的標準草案，於是國際期刊標準號碼正式誕生。

國際標準圖書號碼的結構

國際標準圖書號碼係採用一種書或一種版本的書卽給予以一組號碼，每組號碼固定擁有十個位數，在十個位數的代號裡，區分為國家或區域號碼、出版者號碼、書名號碼、核對號碼四個部份，每個部份之間，以短橫或空格來區別。其中除了佔最後一個位數的核對號碼係固定僅佔一位外，第一段的國家或區域號碼由柏林的國際標準圖書號碼總部頒給，可佔一位數到六位數，第二段的出版者號碼由各國負責實施國際標準圖書號碼的單位發給，可佔二位數到七位數，第三段的書名號碼係配合出版者號碼亦可佔七位數到二位數，惟第一、二、三段號碼的總數加起來合計為固定的九位數。而核對號碼由前九位數按照11係數推算而來。舉一國際標準圖書號碼如下:

0	843	61072	7
國家或區域號碼	出版者號碼	書名號碼	核對號碼

國際標準圖書號碼對採訪作業的影響

國際標準圖書號碼已經被許多國家的國家圖書館，例如澳大利亞、加拿大、芬蘭、匈牙利、奈及利亞、挪威、羅德西亞、南非共和國等，列爲圖書訂購單上的一種主要項目，以配合傳統圖書訂購上的書名、著者、訂價、出版者等基本項目。

在圖書訂購的方式上，若是運用電傳打字機，作有線電報向遠地訂購圖書時，國際標準圖書號碼就成爲主要的通訊內容，因爲一組 十位數的 號碼在 通訊時又省時 、省力、省錢，在未來的圖書採訪業中，國際標準圖書號碼所扮的角色愈來愈重要。(註五)

國際標準期刊號碼對採訪的影響

國際標準期刊號碼由七位數加上一個核對號碼而組成共計八個位數，書寫時八位數碼分成兩個四位數，中間用短橫連接，舉一國際標準期刊號碼如下:

0377—9890

國際標準期刊號碼係一種期刊配發一組號碼，配發後此號碼就如同國際標準圖書號碼一樣是不能輕易更動的，國際標準期刊號碼必須和期刊主刊名聯合使用(註六)，在採訪期刊時，利用國際 標準號碼 可避免誤訂到「同名異刊」的期刊。同時，由於許多的期刊代理商都利用標準號碼來處理和追踪訂單，現時向國外訂購期刊，國際標準期刊號碼幾乎成爲不可缺少的一項書目資料，若不利用號碼時，收刊的時間會受到一點影響。

目前，許多圖書目錄和期刊目錄均一一詳載著每種期刊或每種書籍的國際標準號碼，利用這些號碼對於圖書館的採訪作業尤其是走向自動化的採訪作業，帶來了許多簡化和捷便的影響，相對地也提高了採訪作業的效率。

註記：

註一：國際標準圖書號碼，英文名稱叫 International Standard book Number，簡稱 ISBN。

註二：國際標準期刊號碼，英文名稱叫 International Standard Serials Number 簡稱 ISSN。

註三：見 The ISBN System User's Manual，由 International ISBN Agency 於一九七五年所出版。

註四：即 ISO Standard No. 2108-1972 (E)。

註五：參見顧　敏著「國際標準圖書號碼的意義與應用」一文，刊載於國立中央圖書館館刊第十卷第二期。

註六：參見韋瑞蘭著「國際標準期刊號碼及其資料系統的綜合研究」一文，刊載於國立中央圖書館館刊第十一卷第一期。

第三節　自動化作業與圖書採訪

自動化作業就是利用機械化的方法來處理經常性的業務。時下所指的自動化作業尤其偏向於利用電腦作爲基礎的處理方法 。圖書館自動化的目的和其他事業採用自動化的目的幾乎完全一致的，主要的目的在於把圖書館的業務做得好、做得經濟、並且解決一些靠人力無法做到的事情，也就是藉自動化作業把業務的要求更加地提高，一方面要求精確，另方面又要求迅速。

採訪作業的分析與流程

圖書館邁向自動化作業的時候，也為圖書館的圖書採訪工作帶來了衝擊，因為編製訂購書單等工作是圖書館自動化中首先嘗試的幾個項目之一（註一），事實上，期刊作業、出納作業、採購作業在圖書館自動化作業中分別佔著前三位的比例（註二）。圖書採訪自動化作業是圖書館全面自動化作業中的一個部份。

一個圖書館計劃利用自動化作業處理圖書採訪工作之前，必須先充份地瞭解該圖書館現存的人工作業下的採訪系統，並且對於現存的作業系統，儘可能地作完整的分析，一方面分析作業步驟中的每一道程序是否合理和必要，另方面對於成本問題也要仔細的計算和分析，三則要注意圖書館採訪部份的自動化作業措施要和其他部份的作業相配合，不然因事先的分析不確，而臨時重新設計或更改設計，便造成不必要的鉅大浪費。（註三）

採訪作業自動化的基本步驟，在於把圖書採訪工作的系統建立起來，工作系統的建立有賴於作業研究中獲知作

業程序和作業步驟 。作業程序和作業步驟的表達莫過於運用流程圖的方式表示出來，採訪作業的程序和步驟請見次一頁。（註四）

作業研究總是由簡而繁的，也就是先分析出大步驟的程序，然後再往細步驟的程序逐步地去分析，愈分愈細直到無細可分爲止。例如採訪程序中的「查證補正」這個步驟，又可分解爲若干較細的步驟，見第 160 頁。

自動化作業處理的步驟

透過作業研究而把工作系統的步驟加以明確化，並且加以析分到不可再細分爲止，以便自動化作業之進行。因爲機器只是一種解決問題的工具，機械本身並不能思考，電腦又稱電子計算機或電算機，電腦也只是一種機器不能思考，只能不斷地操作。因此，爲使機器幫助我們解決問題，必須把我們的問題分析至最簡單的步驟，機器才能按着操作。

如果我們把自動化作業中使用最廣泛的機器——電腦來作一個例子，那麼自動化作業行動中，必須包括說明問題、分析問題、編寫程式、執行程式、完成記載五個步驟（註五），藉著這五個步驟便可運用自動化的作業來實施採訪工作:

採訪作業的程序和步驟

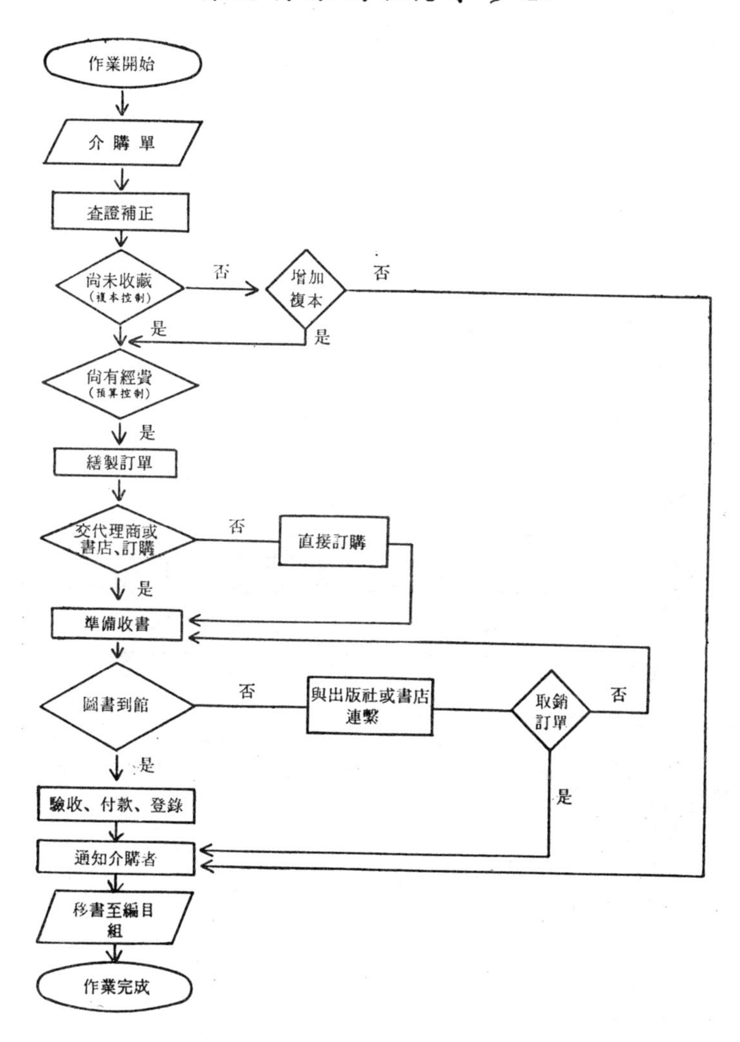
作業開始
介購單
查證補正
尚未收藏
（複本控制）
否
增加
複本
否
是
是
尚有經費
（預算控制）
是
繕製訂單
交代理商或
書店、訂購
否
直接訂購
是
準備收書
圖書到館
否
與出版社或書店
連繫
取銷
訂單
否
是
是
驗收、付款、登錄
通知介購者
移書至編目
組
作業完成

查證補正的程序和步驟

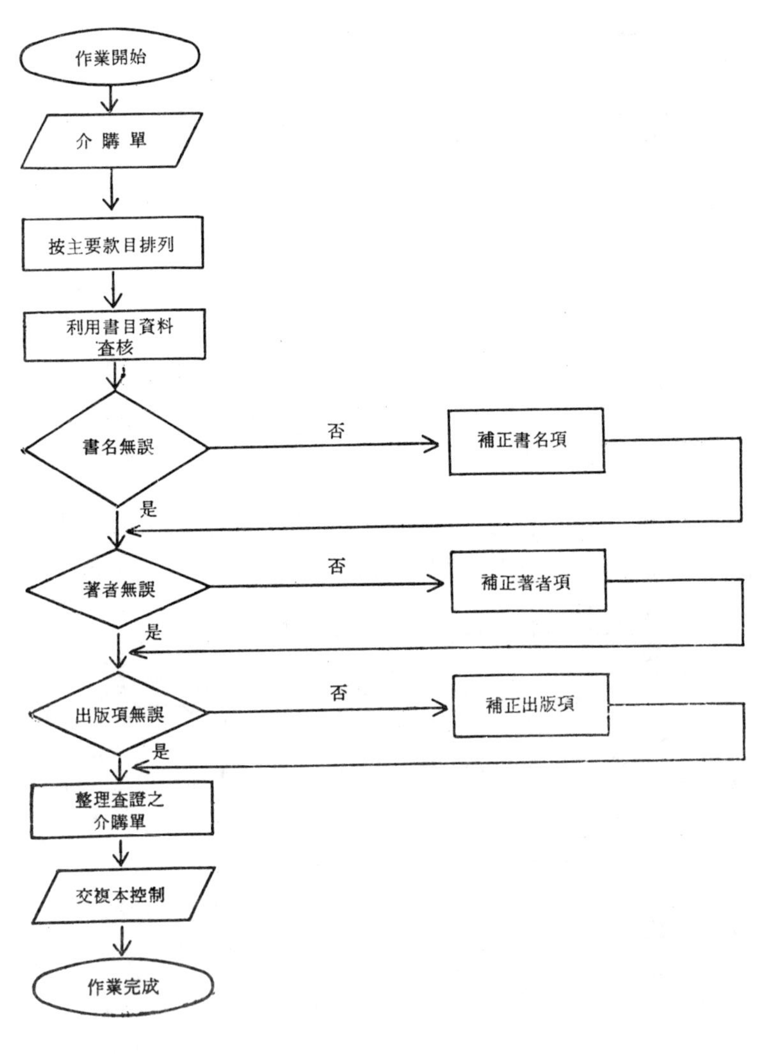

作業開始
介 購 單
按主要款目排列
利用書目資料查核
書名無誤
否
補正書名項
是
著者無誤
否
補正著者項
是
出版項無誤
否
補正出版項
是
整理查證之介購單
交複本控制
作業完成

1.說明問題

說明問題包括四個部份：第一、把採訪工作的作業名稱（例如訂購作業、收書作業、查核記錄作業等）、目的、目標等加以仔細的描述。第二、把每一件採訪工作需要輸入的資料加以說明，例如記錄單元的識別，記錄單元的格式、項目排列，記錄單元的組織等。第三、處理過程中資料所發生的各種條件與情況。第四、輸出資料時對於電腦報表的要求。

這第一項步驟，需要由懂得採訪作業業務的人員分析和程式設計師，及電算編碼員三者互相合作而產生結果。

2.問題分析

按照圖書採訪的程序和步驟，找出一系列的各種細步程序，每個細步程序都要加以仔細的說明解決問題之道，並繪出系統流程圖。

3.編寫程式

程式是一連串的指令，機器接受了適當地符號語言時，可以指示電算機如何輸入、處理和輸出資料，程式的編寫除了顧及到電腦語言亦即符號語言的性質外，更重要的便是流程圖的配合。

這一步驟的工作可完全交由程式設計師按照第一、第二步驟的結果，逕行處理。

4.執行程式

執行程式包括系統設計、機外作業、機內作業等三個部份。系統設計部份和編寫程式有很大的關係，屬於紙上作業的範圍，機外作業部份包含打孔卡、準備輸入等作業，機內作業部份包含測試作業和實質作業兩個階段，測驗作業也就是對於程式的試驗，試驗滿意即進入實作階段，如試驗不滿意便需要修改程式，一直到滿意爲止。

5.完成紀錄

將自動化作業中所作的各種活動記載於文件之上，也就是完成作業指南和操作手册，以協助改善作業，人員訓練、操作工作之參考。

以上的五個步驟，是一個基本的程序，不論我們利用那一種電腦語言，應用那一種電腦機器，都必須面對這些步驟的。

採訪作業自動化牽涉的問題

圖書館自動化已成爲圖書館業務發展的一種趨勢，世界各國不乏其例，我國臺灣地區的科學技術資料中心、淡江文理學院、中山科學院等單位也在積極檢討和試作圖書館自動化的問題，採訪作業也受圖書館自動化的影響，而有首當其衝的態勢，還是研究圖書館採訪作業時所不可忽視的問題。然而，圖書採訪作業是否一定要自動化不可，這更是一種重要的問題。

決定採訪工作是否進行自動化作業的考慮因素，約包括下列幾項:

1.經濟上的價值：以人力、物力、財力管理上的計算，衡量經濟上的價值，單獨自動化或參與其他項目自動化，都是行政管理要考慮的經濟因素。

2.效率上的價值：以工作數量、工作時效、工作精確度上的計算，衡量工作效率上的價值。

3.發展上的價值：以業務擴展如發行新書通報、交換書目訊息、資料登錄、及其他一貫性作業等，衡量業務拓展上價值。

如以上的考量是肯定的，即可積極的籌備經費，訓練人員，按步就班的進行自動化作業。

註記：

註一：參見沈寶環著「圖書館工作自動化問題」一文，圖書館學報第十一期，第三二二頁。

註二：參見張鼎鍾著「從圖書館業務電腦化談起」，圖書館與資訊，第五十五頁。

註三：參見 Stephen Ford 著 The Acquisition of Library Materials 一書，第一八七頁。

註四：參見黃鴻珠著「大學圖書館採購國外資料的理論與實務(一)」，教育資料科學月刊，第十二卷第二期第二十一頁。

註五：參見「電子計算機處理科技資訊參考資料」，行政院國家科學委員會科學技術資料中心主編，第九十四頁。

附錄一

書籍登錄規則

壹、通 則

一、登錄簿內字體宜整潔美觀，不得潦草書寫，及塗改挖補等。

二、登錄簿每頁二十行，每行限登錄書籍一册，線裝書亦每册佔一行，一册書不得佔用兩行塡寫。

三、凡前後二行或二行以上之字樣相同時，得於第二行及以次各行內以兩逗點「〃」表明之，不必重複塡寫。

四、除登錄簿外，尙有登錄片，凡登錄簿內各項，於登錄片內亦均同樣塡寫，惟叢書名則於書名欄內塡寫於書名之後，登錄片上具無「有關登錄事項」一欄。一書有數册者，可用同一登錄片，於書名後註明第幾册至第幾册（線裝書則更註明第幾卷至第幾卷，有函者則於「册數」欄內除註明册數外並註明函數）。

五、登錄號數除於登錄簿上加蓋（或塡寫）於「登錄號數」欄外，並於登錄片及書上加蓋（或塡寫），書上係加蓋（或塡寫）於該書書名頁之次頁下端中間，如有二書名頁，於第二書名頁之次頁，如無書名頁，於有文字之第二頁（惟線裝書則於封皮裏下端加蓋或塡寫）：三處登錄號數必須相同，（登錄之書爲一書分裝數册者，或登錄複本書時，得用一張登錄表。）

六、本規則內所稱書籍，包括成本之圖片、地圖、影印之畫、相片、樂譜及期刋合訂本。單篇論文及未合訂成册之期刋等，則不與爲，另訂登錄規則。

七、凡書籍頁數不足五十頁者爲小册子，另行處理，概不登錄；但連環圖畫、兒童讀物、年度報告等，則概行登錄，前者以其性質而必須流通故，而後者則以往往每年之頁數相差甚巨，有不足五十頁者，有超過五十頁者，爲一律計，概行登錄。

貳、登錄號數

八、「登錄號數」欄，加蓋（或塡寫）登錄號數。

九、每行僅限加蓋（或塡寫）一個登錄號數，每一登錄號數僅限登錄書籍一册。如一書分爲上下册，卽應取兩個登錄號數，如分爲三册，卽應取三個登錄號數，餘此類推，不得兩册書共用一個登錄號數。線裝書亦每册用一登錄號數。

十、複本書籍，如須登錄時，應取新登錄號，不得共用前一書之登錄號數。

十一、凡合刻或合訂之書，如前後各有封面，並分別於前後各爲起訖者，應於兩面均加蓋（或塡寫）登錄號數，但須爲同一號數。

十二、如書內附有他書或小册、圖表者，無論係附於書後封套內或與書同裝於函匣內，均須於所附之書或圖表上加蓋（或塡寫）登錄號數，但須爲同一號數。

十三、線裝書如分裝數函，或一函內有附圖表者，於圖上加蓋（或塡寫）登錄號數，與其上最後一册之號數相同，而如有一函均爲附圖者，則於各圖上均加蓋（或塡寫）同一登錄號數，應爲次於上一函最後一册之號數者。

叁、書　　名

十四、「書名」欄內，塡寫書名。

十五、凡中文舊籍，概以卷端書名爲準，如於卷端不題書名時，得以目次書名爲準。如無目次書名時，則以書名頁之書名爲準。如書名頁亦無時，則以版權頁所題之書名爲準。

十六、凡中文舊籍、卷端、目次、書名頁、及版權頁均不載書名時，得於原書其他各處，如：書口、書根、書背或序跋等所載之書名中擇用其最適當者，但必須於「備考」欄內註明。

十七、凡中文新書（指民國出版者），概以書名頁之書名爲準。如無書名頁時，以版權頁書名爲準。如版權頁亦無時，得於原書其他各處，如：封面、目次、書口、書背、或序跋等所載之書名中擇用其最適當者，但必須於「備考」欄內註明。

十八、凡日文、韓文、越文等書籍，書名之選擇，如同中文書籍處理之。

十九、凡西文書籍，概以書名頁之書名爲準。如無書名頁時，以版權頁之書名爲準。如版權頁亦無時，得於原書其他各處，如：封面、書背、每頁上端或序跋等所載書名中擇用其最適當者，但必須於「備考」欄內註明。

二十、凡一書之書名用二種或二種以上文字重複表示者，填其內容所用之主要文字，其內容爲六種以上文字對照者：填其第一種文字，得於「備考」欄內註明。

二十一、凡一書兼印有中西文字者，其出版者在本國者，視同中文書籍處理；其出版者在國外者，則視同西文書籍處理，惟華僑出版物仍視同中文書籍處理。

二十二、凡翻譯之書籍，其原書名能查明者，得於「備考」欄內註明。

二十三、凡書名中之文字劃、標點，以及含用兩種以上文字者，悉依原題。

二十四、書名如以不同大小字體刋載時，若前大後小，小者視同副書名，若前小後大，則可省略之，若恐與其他類似書名混淆或欲求詳細，則可以括弧註於書名（大字體刊載者）之後，若顯然不可倒置者，則仍當照錄於大字體刊載之書名之前，如：國語常識練習課本，書名中間有較小字體之字樣者，一律照錄，如標準常識公民、地理、歷史、自然測驗。

二十五、凡議事錄、會議紀錄、提案等，先塡寫機關名稱與議事錄、會議紀錄、提案等字樣，再塡明第幾屆，第幾次會期等於其後，如書名有年代，再於其後註明。

二十六、書名內帶有年代性質時，須將其年代塡寫於書名之後，如報告年鑑、期刊合訂本並應註明起訖卷期於書名後。

二十七、副書名或互見書名於不影響區別書籍時，得省略之。

二十八、該書如分上下册，一、二、三、……册（或輯、集、卷），亦應於書名後註明之。

二十九、線裝書之每册爲一行登錄，而於書名後註明卷數或起訖卷數，其表明册數者，並註明册數，其以函裝者，則註明第幾函、第幾册；亦註明卷數或起訖卷數。惟各函內各册本有順序總數者，照塡之，須註明第幾函。

三十、版次或刻版亦應於書名後註明，如「再版本」、「四版本」、「修版本」、「增訂第二版本」、「宋坊刻本」、「元至元年四年梅溪書院刻本」、「嘉慶六年序刊本」、「影印本」、「照相本」、「晒藍本」、「油印本」等，凡不註明係「刻本」、「影印本」、「照相本」、

「晒藍本」或「油印本」者，卽爲「鉛印本」。

三十一、書名過長時，得於本行內再分行書寫，如仍不敷塡寫時，得酌量刪減書名之不重要部份。

三十二、刪減書名時，不得妨碍書名語氣，並須將所刪減之字語以六點（中文書）或三點（西文書）表明之，如「……」「…」。此六點或三點不得用於書名之中段，卽不得刪略書名中段之字語。

三十三、凡合訂或合刻之書登錄時，應列舉各書名，如書名字數過多時，得舉其重要之書名或首見之書名，而應於「備考」欄內註明其他各書名。

三十四、凡論文或圖書合訂一册別取書名者，依所取之書名塡寫，而於「備考」欄內註明。

三十五、一書屬於某叢書者，得將叢書名於「備考」欄內註明。

三十六、凡一書中附有他書時，則於正書名後記「附某書」，其字體宜較正書名略小。

三十七、凡一書附有小册或散裝之圖表時，應於「備考」欄內註明。

三十八、凡一書有兩書名頁者，採其書名之較詳者，如其出版時期不同者，以其時期較後者所載之書名爲準，如二書名頁互有詳盡者，各取其較詳書名。

肆、著　　者

三十九、「著者」欄內，塡寫著者。

四十、凡中文舊籍，其著者以卷端或書名頁、目次、版權頁所載者爲準。

四十一、凡中文新書（指民國出版者），以及西文書籍，其著者以書名頁或版權頁爲準。

四十二、著者姓名，概依書上所載者抄錄，其爲別號、筆名、僧尼，或女子名者，一任其舊。

四十三、凡官書及以團體或會社之名義發表之書籍，其載有從事主編者之個人姓名，以其姓名爲著者，如未載有個人姓名者，則以政府機構或團體、會社爲著者。

四十四、凡書籍登錄時，其書名內包括團體之名稱者，如以該團體爲著名，得於「著者」欄內以「該社」，「該會」，「該政府」，「該館」等字樣塡列。

四十五、凡書籍爲二人合著者，應併塡二人姓名，稱「某某、某某合著」。

四十六、凡二人以上合著者，得塡明「某某等合著」字樣。

四十七、書籍之爲撰、編、編著、補撰、譯、編譯、重譯、校、句讀、標點、譜曲、木刻、繪製，攝影而成者，概依書上所載者抄錄。

四十八、凡書籍已有著者，又有編者或譯者等情形時，皆於「著者」欄內註明，如名目繁多，得酌量填寫。

四十九、凡編輯之書，應仍以原著者爲準，稱：「某某撰著」、「某某編」，如原著者在二人以上時，則以編輯者爲主，得視情形將原著者之姓名於「備考」欄內記明。

五十、凡目錄索引等書，除以編者爲著者外，其私家收藏目錄等之非自編者亦須另於「備考」欄內註明。

五十一、凡翻譯之書，其原著者能查明者，得於「著者」欄內記明，稱：「某某原著、某某譯」。

五十二、翻譯之書，其原著者之姓名，概以原文填寫；其不知其原文者，得依書上所載之中譯名填寫。

五十三、西文著者姓名，先寫姓，後寫名，中間隔以逗點，如遇縮寫則照錄。

五十四、凡重譯之書，其中間譯者，得於「備考」欄內註明。

五十五、凡外國著者之有漢字姓名者，登錄時應採用其漢字姓名，而將原姓名以括弧於漢字姓名後記明。

五十六、合刻或合訂之書，其著者應分別填寫，必要時得以括弧於著者之註明其所著之書名，如不敷填寫時，可於「備考」欄內填寫。

五十七、凡論文合訂一册，別取書名者，其爲不同著者時，塡「某某、某某合著」或「某某等合著」（參見第四六、四七條）。

五十八、凡書中不載著者，卽塡「不著撰人」，若有時代可尋，則塡「某代人佚名」，如「唐人佚名」，如於他處查得者，得塡明之，惟應加以括弧。

五十九、期刊合訂本登錄時，其主編者不得爲著者，得於「備考」欄內註明。

六十、「册數」欄，記一書之共有册數，或（於線裝書之場合）共有册數與卷數，如一書尙未出齊者，此欄則不塡。又一書僅一册者，此欄亦不塡。

六十一、線裝書之函裝書，應塡明共有函數及册數、卷數。

伍、頁　　數

六十二、「頁數」欄記一書之起訖頁數，概以阿拉伯字塡寫，如係西書，其用羅馬 數字者，應以羅馬數字塡寫。

六十三、凡有序文、附錄、索引等之頁數，其另行計算者，應分別記明，如：vii＋125＋34。

六十四、凡未印明頁數之各頁，計其總頁數加用方括弧註明之，如：〔18〕＋126。

六十五、書內頁數，如各編、各章、各節，或如期刊合訂本之各期未載總頁數各爲起訖者，即填「各爲起訖」。

六十六、一書分爲上下册或三册以上者，其頁數均不必填寫。

六十七、凡書中附有挿圖表格者，應於本欄內註明。

陸、出版地及出版人

六十八、本欄先填出版地，後填出版人，其間留有空白，各行一律。

六十九、出版地以出版人所在地爲出版地，如：「臺北市」、「臺北縣」等。

七十、出版地應填寫縣市名稱，如不知時，得填寫省名或國名，如爲不經見之地名，得並填明國名、省名或州名等。二地同地名時，其極不常見之地應填明國名、省名或州名等。

七十一、出版人如爲著者本人時，即填「著者」二字。

七十二、如未載明出版人者，則以發行者爲出版人，若發行者亦未載明者，則填「未載」二字而將印刷者填於「備考」欄內。凡不經見之出版人，並應註明其詳細地址。

七十三、如一書旣有出版人，又有發行人，則將發行人於「備考」欄內註明。

七十四、出版人為著者時，應於「備考」欄內註明印刷者。

七十五、凡一書由二出版人聯合出版者，併列註明之。若為三出版人以上聯合出版者，則記其最顯著之出版人，稱：「某某等」。

七十六、出版人之名稱，得簡略填之，如：商務印書館，可稱「商務」；但以衆所週知者為限。

七十七、出版人如為政府機構，或會社、團體，而該團體名稱已於「書名」欄或「著者」欄填明者，得於出版欄內填「該社」「該會」等。

七十八、如為影印之書，應將所據而影印之版本、出版者、出版地等，填於「備考」欄內。

柒、出 版 期

七十九、本欄填寫出版期，以出版或發行年代為出版期，得註明月份。

八十、如無出版或發行年代時，以刊刻年代為出版期，無刊刻年代時，以版權年代（copyright date）為出版期；如版權年代亦無時，則以註册年代或審定年代，或序跋年代為出版期，但應於年代前註明「刊刻」、「版權」（copyright）「註册」、「審定」、「序」、「跋」等字樣。

八十一、出版年代均依書上所載者塡寫，如「民國四十四年」、「日本昭和十八年」、「1947」等。

八十二、書內列有數年代時，依最後之年代爲出版期。最後一版之版權年代與出版年代不同時，並於「備考」欄內註明。

八十三、發行年代與版權年代不一致時，得於「備考」欄內註明版權年代。

捌、書　　式

八十四、「書式」欄內，塡寫書籍開本之大小，先高後寬，以公分爲準，如：「23×26」。

八十五、測量書式時，其少於半公分，在三公厘以上，作半公分計算，其少於一公分者，在八公厘以上，作一公厘計算，其少於三公厘及八公厘者不計。

玖、裝　　訂

八十六、「裝訂」欄內塡寫書之裝訂款式，如：「平裝」、「精裝」、「蝶裝」、「旋風裝」、「包背裝」、「活葉」、「軟面精裝」等。

拾、來　　源

八十七、「來源」欄內塡寫書籍之來源，計分「官」、

「贈」、「交」、「繳」、「購」等五種。

八十八、「官」指政府機關出版品，而由出版者所贈送之書刋。

八十九、「贈」指一切團體及私人所贈送之書刋。

九十、「購」指一切以金錢購置之書刋，或付款照相、晒藍、油印等而得之書刋。

九十一、「交」則指由與其他機構交換書刋而得來之書刋。

九十二、依出版法，應由各出版家每月寄送國立中央圖書館出版之新書一册，所有此類書刋，其來源爲「繳」。

九十三、凡書籍來源之所自與出版人不同時，得於「備考」欄內註明其名稱，如一書由著者出版，而由臺灣省教育廳所贈送者，得於「備考」欄內註明係由臺灣省教育廳所贈。

拾壹、價　　值

九十四、「價值」欄填寫以書內所載之價格爲準，但如係購置之書刋，則以當時購入之實價填列之。

拾貳、備　　考

九十五、「備考」欄內填寫非填入其他各欄之應註明之事項；除以上各條所提及者外，又如：以書之名稱，是否爲連續出版物，參考書、工具書、註銷、缺頁、附有散裝圖表，置於函匣或袋內，該書館藏已有若干部。

附錄二

期刊紀錄程序辦法

第一章　總　　則

一、凡具有期刊性質如雜誌官報新聞紙定期與不定期刊等，其紀錄法概依本辦法規定之程序辦理之。

二、期刊紀錄卡暫分三種如左:

1.雜誌卡

2.新聞紙卡

3.年刊及年刊以上之期刊與不定期刊卡

第二章　郵包之整理

三、期刊之包件於到館時，即剔出新聞紙雜誌公報及其他定期與不定期刊分別辦理之。

四、各類之包件，分別開包後，按刊名西文依字母之先後，中文依筆劃之多寡排列整齊。

第三章　雜誌之紀錄

五、凡週刊、旬刊、半月刊、月刊、季刊、及半年刊等，概用雜誌卡紀錄之。

六、雜誌中文三或五日刊者，得用新聞紙卡紀錄之。

七、雜誌卡上之名稱項下塡寫雜誌名稱，其塡寫方法概依本館之編目規則辦理之。

八、期刊項下塡寫週刊、半月刊等字樣，如有中途改變刊期者，亦應於刊期項下，用鉛筆簡明註明之。

九、文字項下塡寫各雜誌用以代表刊行之文字（如英文法文），其有爲兩種或三種文字刊行者，塡寫如「英日法文或英法德文」，其有爲三種以上之文字刊行者，塡寫「文字繁複」。

十、索引項下塡寫索引本雜誌論文之刊名，如（經人文）或期刊索引索引者，則書人文或期刊索引。

十一、來源項下塡寫各雜誌直接寄本館之機關，或書店名稱。

十二、收到情況項下塡寫「贈」「交換」「購置」或「寄存」等字樣。

十三、紀錄雜誌時，月刊則於月之空格內塡寫期號；週刊則於月之空格內，分左上、左下、右上、右下、正中五處之次序塡寫期號；半月刊則於月之空格內分上、下二處塡寫期號。雜誌之爲合訂刊時，於二期號之間，用一短橫線連貫之如（一一二）。

十四、紀錄雜誌時，凡兩月刊之雜誌上，未載明應代表之月份時，則於紀錄卡上，每期雜誌所代表之首月之空格內，將雜誌之期號，填寫清楚，如雜誌上載有兩月刊所代表之月份（如三、四月第二期），則於紀錄卡兩空格之騎縫處，填寫期號。

十五、雜誌之爲一日、二日、三日刊，或五日刊者，用新聞紙卡，於日之空格內，填寫期號。

十六、凡雜誌於年之中途換卷號者，其換卷之部份，於紀錄卡上另一行填寫之。

十七、紀錄雜誌之卡片，另行排列之。

第四章　官報之紀錄

十八、官報之紀錄，得引用第三章所規定之辦法辦理之。

十九、紀錄官報之卡片，另行排列之。

第五章　新聞紙之紀錄

二十、凡日報、新聞紙、通訊社稿，概用新聞紙卡紀錄之。

二十一、凡到館之日報、新聞紙、通訊社稿，於日之空格內，畫一鉤「√」。

二十二、凡日報、新聞紙、通訊社稿，中途短期停刊時，於日之空格畫一「○」。

二十三、紀錄日報、新聞紙、通訊社稿之卡片，另行排列之。

第六章　期刊之檢查

二十四、凡到館之期刊，經查尚無該期刊之紀錄卡時，即行檢查股存各種單據，或洽詢有關人員，先決定其來源，然後依照各種期刊之性質，分別製定紀錄如卡。

二十五、凡到館之期刊，雖未成卷而有堅固之裝訂形式者，除於紀錄卡上紀錄外，即行送交登錄。

二十六、期刊到館時，如有破損或頁數顚倒者，須即專函調補之。

二十七、期刊中附有附件或副刊者，須與期刊一併保存，待交裝訂時，得視情形合併或分別裝訂之，其副刊另有卷期自爲起訖者，得視爲另一期刊，依照本辦法規定之程序辦理之。

二十八、國內出版之期刊，未能按期寄館時，應於一月內函詢之。

二十九、國外出版之期刊，無論其爲購買或贈送者，未能按期寄館時，應於三日內函詢之。

三十、每次函詢時，應於紀錄卡註明，以資查考。

三十一、所缺期號，經函詢已絕版者（凡無法由來源機關補寄者，皆以絕版論），得於紀錄卡上，用鉛筆畫一（×）以註明之。

三十二、期刊經函詢確定其已停版者，於出版之最後期旁用紅筆畫兩斜直（//）以表明之。

三十三、國外團體寄贈之期刊，其爲雜誌官報或新聞紙性質者，於收到之首期函謝外，並每半年函謝一次，不定期刊年刊或年刊以上之定期刊物，於收到時卽行函謝。

三十四、凡註明有書名頁或索引而另行印行者，卷終後，卽行函索之；凡屬贈送之期刊，可於函謝時附帶申請補贈，以資節省郵費。

三十五、凡已成卷之期刊，且書名項及索引俱已完備者，應斟酌各刊之性質，送交裝訂。

三十六、期刊經紀錄後，卽加蓋館章，及其他一切印章。

第七章　期刊之編號

三十七、凡到館之雜誌、官報、新聞紙、定期刊或不定期刊之紀錄卡，概行編號，以資統計。

三十八、每一期刊之紀錄卡，以各佔一號碼爲限，塡寫於紀錄卡背面右上角。

三十九、本館收到期刊，暫分爲若干類，每類號碼自爲起訖並於號碼之前，加蓋類別符號如下：

㈠中文雜誌號碼前加「中雜」兩字（如中雜0001）。

㈡西文雜誌號碼前加「西雜」兩字（如西雜0001）。

㈢中文官報號碼前加「中官」兩字(如中官0001)。

㈣西文官報號碼前加「西官」兩字(如西官0001)。

㈤中文紙號碼前加「中報」兩字（如中報0001）。

㈥西文紙號碼前加「西報」兩字（如西報0001）。

四十、凡一期刋經授予之號碼即不得作爲其他任何期刋之號碼，雖該刋中途停刋，亦不得以新刋遞補之。

四十一、各類紀錄卡之前，應有一編號指導卡，簡明紀錄每次收到新刋起訖號碼。

四十二、經檢出之期刋索引或書名頁時，應妥爲另放，待裝訂時，一併送交裝訂。

第八章　期刋之列架

四十三、凡期刋經編號即行排比列架，爲便利閱覽人起見，得提出重要期刋公開陳列，暫分爲庫內列架與雜誌室列架。

四十四、庫內列架之辦法如下:

1.中文雜誌　凡定期與不定期刋之中文雜誌，概依雜誌名稱、筆畫之多寡，排列之。

2.中文官報　凡定期與不定期之中文官報，概依官報名稱、筆畫之多寡、排列之。

3.西文期刋　凡定期與不定期之西文雜誌或官報，概依刋名字母之先後排列之。

4.中文新聞紙　中文新聞紙依名稱筆畫之多寡排列之。

5.西文新聞紙　西文新聞紙依名稱字母之先後，排列之。

〔附則〕凡除中西文外之期刊，另行列架。

四十五、凡年刊或年刊以上之期刊，應即移交登錄，或逕送編目室。

四十六、期刊閱覽室內之期刊陳列架，應先行編號、粘貼號碼；陳列之期刊，亦應按架編號，並於必要時，加以顏色區別之。

四十七、期刊閱覽室陳列之雜誌，除分為中西文或其他文字外，應依照期刊之性質，分類列架。

參考書目

書籍部份

1. 圖書館圖書購求法　邢雲林撰　民國二十五年十月　南京　正中書局出版。
2. 圖書選擇法　王振鵠撰　民國六十一年十月　臺北　國立臺灣師範大學圖書館出版。
3. 西文圖書期刊採購實務　沈曾圻、曹美芳編著　民國六十五年十一月　臺北　行政院國家科學委員會科學技術資料中心印行。
4. 圖書館學　中國圖書館學會出版委員會編　民國六十三年三月　臺北　臺灣學生書局印行。
5. 科學技術資料處理　民國六十三年　臺北　行政院國家科學委員會科學技術資料中心印行。
6. 縮影技術學　沈曾圻、顧　敏編著　民國六十六年十月　臺北　技術引介社出版。
7. 電子計算機處理科技資訊參考資料　民國六十七年　行政院國家科學委員會科學技術資料中心印行。

8. McColvin, Lionel Roy, The Theory of Book Selection for Public Libraries, London: Grafton, 1925.
9. Drury, Francis K. W., Book Selection, Chicago: American Library Association, 1930.
10. Ford, Stephen, The Acquisition of Library Materials. Chicago: American Library Association, 1973.
11. Broadus, Robert N., Selecting Materials for Libraries, New York: Wilson, 1973.
12. Lunati, Rinaldo, Book Selection: Principles and Procedures. tr. by Luciana Marulli, N. J. Crarecrow, 1975.

論 文 部 份

1. 圖書館的採訪工作　任　簡撰　刊於主義與國策四十二卷　第三十一頁至四十三頁　民國四十四年一月。
2. 大學圖書館社會科學資料的蒐集與整理　趙來龍撰　刊於政大學報第三期　第三二九頁起　民國四十九年三月。
3. 圖書資料的選擇　王振鵠、趙來龍撰　刊圖書館學第一九一頁至二四八頁　民國六十一年三月。
4. 圖書館的技術服務——資料的徵集　張鼎鍾撰　刊圖書館學第二四九頁至二八六頁　民國六十三年三月。
5. 大學圖書館採購國外資料的理論與實務　黃鴻珠撰　刊教育資料科學月刊第十二卷第二期至第十三卷第三期　民國六十六年十月至六十七年五月。
6. 科學出版品的選擇問題　沈寶環撰　刊圖書館學報第十期第八十三至一百頁　民國五十八年十二月。
7. 美國科學文獻的出版和選擇問題　沈寶環撰　刊美國研究第二卷第二期第一一一頁至一三〇頁　民國六十一年六月。
8. 美國圖書館的技術服務　盛子良撰　刊美國圖書館業務第二十五頁至三十一頁。
9. 期刊採訪作業的基礎　顧　敏撰　刊於國立中央圖書館館刊　新六卷第二期第三十一頁至三十八頁　民國六十二年。
10. 圖書館的交換業務　顧　敏撰　刊於教育資料科學月刊第十三卷第四期第二十九至三十二頁　民國六十七年六月。
11. 中國圖書館學會六十七年暑期圖書館工作人員研習會圖書選擇與採訪講授大綱　顧　敏講　未刊本　民國六十七年七月。

12. 誰應該負責選擇書籍　黃俊華譯　刋圖書館學報第五期第三〇一頁至三〇五頁。
13. Encyclopedia of Library and Information Science: Acquision Work, v.1 p. 64-71.
14. Manrice F Tauber Technical Services in Libraries, Acquitions. Cataloging. Classification, Binding. Photographic Reproduction, and Circulation Operations; chapter Ⅲ Acquisitions; function and organization. p. 22-108. 1954.
15. Edward A Chapman Library Systems Analysis Guidelines: Wiley-Interscience p. 7-13 1970.
16. Harold L. Roth The Book Wholesaler: His Forms and Services Library Trends. April 1976 p. 673-682
17. Gregory Walker Describing and evaluationg Library Collections Journal of Librarianship V. 10. No. 4 P. 219-231 1978
18. John K. Chidester The Acquisitions Issue in the Small public Library Library Acquisition: Practice and Theory v. 1 no. 4

p. 221-225 1978

19. Katherine J. Schreiner The New Use of the OCLC Cataloging Subsystem: Acquisitions Library Acquisitions: Practice and Theory v. 2, No.3/4 p. 151-157 1978

20. Carolyn W. Field The Reoposibility of Children's Librarians in Materials Selecion. Top of the new v. 35 n. 3 p. 237-242 1979

21. Marlene Heroux and Carol Fleishaner Cancellation Decisions: Evaluating Standing Orders. Library Resources & Technical Services v. 22 n. 4 p. 368-379. 1978

22. George V, Hodowanec An Acquisition Rate Model for Academic Libraries College and Rcsearch Libraries v. 39 n. 6 p. 439-447 1978

23. Allen Kent Library Resource Sharing Netlworks: How to Make a Choice Library Acquisition: Practice and Theory v. 2 n. 2 p. 69-76 1978

24. Wilmer H. Baatz Collection Development in 19 Libraries of the Association of Research Libraies Library Acquisition: Practice and Theory V. 2. n. 2. P. 85-121 1978

國立中央圖書館出版品預行編目資料

圖書館採訪學 / 顧敏著 -- 初版 -- 臺北市：臺灣學生，民 68

9,191 面；21 公分 --（圖書館學與資訊科學叢書；8）

參考書目：面 187-191

ISBN 957-15-0154-9（精裝）：新臺幣 170 元

-- ISBN 957-15-0155-7（平裝）：新臺幣 120 元

1. 圖書館採訪

023.1 79000362

圖書館採訪學（全一册）

著作者：顧 敏

出版者：臺灣學生書局

本書局登記證字號：行政院新聞局局版臺業字第一一〇〇號

發行人：丁 文 治

發行所：臺灣學生書局

臺北市和平東路一段一九八號
郵政劃撥帳號0002466—8號
電 話：3634156
FAX:(02)3636334

印刷所：信利印製有限公司

地址：臺北市德昌街261巷10號
電話：3052380·3094525

香港總經銷：藝文圖書公司

地址：九龍偉業街99號連順大厦五字樓及七字樓 電話：7959595

定價 精裝新台幣一七〇元
平裝新台幣一二〇元

中華民國六十八年十月初版
中華民國七十九年十月初版五刷

ISBN 957-15-0154-9（精裝）
ISBN 957-15-0155-7（平裝）

圖書館學與資訊科學叢書

本版圖書編號	書名	作者	開本	頁數
0202	中國圖書館事業論集	張錦郎	25	596
0203	圖書、圖書館、圖書館學	沈寶環	25	474
0204	圖書館學論叢	王振鵠	25	596
0205	西文參考資料	沈寶環	25	386
0206	圖書館學與圖書館事業	沈寶環	25	330
0209	國際重要圖書館的歷史和現況	黃端儀	25	420
0210	西洋圖書館史	尹定國	25	332
0231	圖書館採訪學	顧　敏	25	204
0232	國民中小學圖書館之經營	蘇國榮	25	422
0233	醫學參考資料選粹	范豪英	25	148
0234	大學圖書館之經營理念	楊美華	25	344
0236	中文圖書分類編目學	黃淵泉	25	523
0238	參考資訊服務	胡歐蘭	25	382
0239	中文參考資料	鄭恆雄	25	424
0240	期刊管理及利用	戴國瑜	25	238
0245	兒童圖書館理論、實務	鄭雪玫	25	254
0246	現代圖書館系統綜論	黃世雄	25	510
0247	資訊時代的兒童圖書館	鄭雪玫	25	234
0248	現代圖書館學探討	顧　敏	25	446
0251	專門圖書館管理理論與實際	莊芳榮	25	212

※尚有其他圖書館學類圖書十餘種請參考臺灣學生書局書目